PASSEPORT À L'IRANIENNE

DU MÊME AUTEUR

Roumi, le brûlé, Lattès, 2004.

www.editions-jclattes.fr

Nahal Tajadod

PASSEPORT
À L'IRANIENNE

Roman

JC Lattès
17, rue Jacob 75006 Paris

ISBN : 978-2-7096-2920-1

© 2007, éditions Jean-Claude Lattès.

Samedi

Je suis née ici, je connais Téhéran, j'y ai de la famille et des amis. Bientôt, je devrai repartir pour Paris, où je vis. Mon billet de retour, sur Iran-Air, est prêt. Juste un petit souci, presque rien : je dois renouveler mon passeport iranien.

J'ai l'habitude. D'ordinaire, cela prend trois jours. J'ai dix jours devant moi : c'est plus qu'il n'en faut.

Pour renouveler mon passeport, je dois préparer, parmi d'autres documents, des photos d'identité islamiques : pas de cheveux apparents sous le foulard, pas de maquillage visible, pas de sourire. Il faut, en somme, offrir le portrait d'une femme qui regarde directement l'objectif de l'appareil mais qui n'a pas, dans le quotidien de sa vie, l'autorisation de fixer les yeux de son interlocuteur lorsque celui-ci est un homme.

Pour composer cette photo – il s'agit bien d'une composition et non d'un instantané –, je dois à tout prix aller chercher un photographe professionnel. Ceux-ci ont l'habitude de ce genre d'exercice : ils disposent tous de foulards unis et épais, d'une lotion démaquillante pour les yeux et les lèvres, d'un long manteau à col boutonné et fermé, bref de tout l'attirail nécessaire à la transformation d'une femme ordinaire – que ses cheveux soient courts ou longs, qu'elle soit lourdement ou légèrement maquillée, vêtue d'une robe imprimée ou de jeans et d'un tee-shirt – en une femme islamique.

L'apparence de la femme islamique a été soigneusement étudiée. Elle a un sens : le voile qui recouvre sa tête représente le sang des martyrs versé au cours de la guerre Iran-Irak – plus d'un million de morts du côté iranien –, et les boutons de son col, qui serrent son gosier et l'étouffent un peu, sont une allusion à l'honneur sain et sauf de son époux ou de son frère, pour la bonne raison que ces boutons empêchent d'apercevoir sa chair de femme.

Avant de me rendre dans un de ces ateliers de photographie – j'en connais deux, situés non loin de chez moi –, je prends la précaution de ne pas raviver mon rouge à lèvres, au cas où les photographes manqueraient de dissolvant, je choisis un foulard noir et une chemise froissée à col montant achetée à Paris, chez Pleats. Ce modèle ne révèle, ni même ne laisse deviner, aucune rondeur du corps, car il noie la poitrine sous un amas de polyester plissé. En Iran, rares sont ceux qui connaissent le couturier Issey Miyake, et se couvrir d'un de ses amples vêtements ne peut dénoncer la moindre recherche vestimentaire, attitude qui pourrait paraître suspecte.

Je décide de me parfumer un peu, quand même. Un coup d'œil à ma coiffeuse et je choisis la *Rose* de

Santa Maria Novella. J'espère peut-être, secrètement, grâce à un vêtement à l'élégance insoupçonnable et à mon parfum, contaminer le prototype islamique de la femme par quelques germes japonais et florentins, invisibles, subtils, indétectables.

Je sors et, après quelques minutes de marche incertaine sur des trottoirs transpercés de câbles et éventrés, j'aperçois les deux ateliers de photographie. Ils ne sont pas loin l'un de l'autre. L'un porte le nom de Mehdi, l'imam caché, celui qui a disparu jadis dans un puits et dont les chiites fervents attendent le retour depuis douze siècles.

L'autre atelier s'appelle Ecbâtâne, du nom de l'antique capitale des souverains achéménides, les bâtisseurs de Persépolis. Je choisis le second. Avant la Révolution islamique, j'aurais opté indifféremment pour l'un ou pour l'autre et peut-être même pour le premier, par sympathie pour un de mes cousins qui porte le nom de Mehdi.

Aujourd'hui je choisis la plus haute antiquité, les temps illustres de la Perse. Je m'arrête devant la vitrine de l'atelier Ecbâtâne et je lis, calligraphié sur le verre : « Nous filmons et photographions toutes vos cérémonies. »

Soudain, je me rappelle qu'une de nos connaissances, le fils d'un parvenu, originaire du nord de l'Iran, avait fait filmer l'enterrement de son père par un cinéaste professionnel. La cassette est passée de main en main dans la famille, jusqu'au premier anniversaire du décès. Ce jour-là, le jeune et riche orphelin loua un écran géant et, dans le jardin de la maison familiale, projeta le film des funérailles, monté et mixé sur la musique de la *Lettre à Elise*.

Vêtements noirs, glaïeuls noirs, tentures noires : on eût dit l'envers d'un mariage. Non que le jeune homme fût particulièrement sensible au souvenir de ces funérailles. Mais, pour étaler sa fortune, il avait choisi de montrer l'enterrement de son père, qui sans doute la lui avait transmise.

Lorsque je jette un coup d'œil sur les photos qui ornent la devanture, j'y découvre un marié de profil, les cheveux gominés, les sourcils épilés et le nez refait sur le modèle de celui de Brad Pitt. Il tend, de sa main aux doigts manucurés et légèrement vernis, un bouquet de roses blanches en direction d'une mariée absente. Car la loi en vigueur interdit d'exposer des photos de femmes dans les vitrines de tous les commerces. C'est pourquoi sur le cliché les roses blanches ne sont pour personne.

Je vois aussi un autre marié ouvrant la portière d'une Mercedes, décorée de fleurs et de rubans, à une silhouette que l'on suppose être sa conjointe, et dont je ne distingue que les pieds qui frôlent le sol, confinés dans des chaussures à talons aiguilles. J'examine longuement cette photo qui me paraît quelque peu subversive. En effet, l'islam au pouvoir interdit aux femmes l'usage des hauts talons, car le claquement des talons d'une femme en mouvement est toujours susceptible de troubler un bon musulman, et par conséquent de provoquer des sensations dangereuses.

Un instant j'imagine Wall Street et ses centaines de femmes chaussées d'escarpins, courant dans tous les sens, sans se douter qu'elles déclenchent ainsi chez les courtiers new-yorkais des érections supérieures à celles qu'ils doivent au Viagra. Je ne parviens pas à détacher mes yeux des chaussures en satin que j'aperçois dans la Mercedes, seul témoignage de l'existence d'une femme au-delà de la portière. Ses pieds sont enflés et sa chair déborde de la pointe aiguë des chaussures. Je suis là à me rappeler celles que j'ai moi-même achetées, un peu partout, ou que d'autres m'ont offertes, et que je n'ai jamais portées, car elles me serrent. L'invisible mariée a dû recevoir en cadeau, sans doute de sa future belle-sœur qui revenait d'un voyage à Dubaï ou ailleurs, ces abrégés de chaussures.

Ah, Dubaï et la classe moyenne iranienne ! Depuis une quinzaine d'années, les Iraniens ne rêvent que de passer leurs longs week-ends (du mercredi soir au vendredi soir), au paradis hautement bétonné de Dubaï. Pour s'y rendre, il ne faut ni une accumulation infranchissable de démarches auprès du consulat, pour l'obtention du visa, ni une maîtrise d'anglais, d'allemand ou de suédois. La plupart des commerces y sont tenus par des compatriotes qui ont fui le régime islamique, le persan se parle et s'entend partout, et même s'il arrive qu'on soit obligé d'utiliser la langue arabe, des phrases entières de la prière musulmane peuvent, à chaque instant, nous être d'un grand secours. Ainsi *Allâh-o akbar*, « Dieu est grand », peut aider à marquer notre étonnement devant n'importe quel monument, le Burj al-arab par exemple, *al hamdollâh*, « je remercie Dieu », s'utilise couramment pour toute expresssion de gratitude, *serât al-mostaghim*, « le chemin droit », pour indiquer la direction aux chauffeurs de taxi, et ainsi de suite. La prière est d'un bon secours aux touristes.

Ceux qui s'enrichissent à Téhéran dépensent allègrement leur argent sur les plages de Dubaï, en maillot de bain, un verre de whisky à la main, un horizon d'immeubles derrière eux. Leurs épouses chanceuses sortent là-bas sans foulard islamique, aèrent au gré du vent, le vent chaud du désert d'Arabie, leurs chevelures de fausses blondes, déambulent même en short et en débardeur dans les halls des grands hôtels et rapportent, en guise de cadeau, pour des cousines moins favorisées par le sort, et pour de futures mariées, des chaussures – toujours trop étroites.

J'abandonne là les escarpins de la mariée invisible, qui m'ont emportée jusqu'à Dubaï, non sans une pensée fugitive pour le fétichisme européen de la chaussure et les pieds vernis de Catherine Deneuve, chaussée par Roger Vivier, grimpant en silence, pour la première fois, les marches de la maison de passe dans *Belle de jour*.

Un peu plus loin, dans la vitrine, je remarque la photo d'une fillette de six ou sept ans, en tout cas de moins de neuf ans – l'âge de la puberté pour les filles –, soufflant une bougie d'anniversaire sur un gâteau divisé en quatre parts, chacune portant une des lettres du mot LOVE. La fillette, sur la photo, est plus maquillée que les meneuses de revue du Moulin Rouge. Les paillettes collées autour de ses yeux, la poudre argentée sur ses cheveux et le rouge de ses ongles me donnent la chair de poule. Ses lèvres resserrées, mimant le souffle qui va éteindre la bougie – poussée par sa mère, pour les besoins de la photo, elle a certainement refait ce geste une bonne dizaine de fois –, donneraient des leçons de désir simulé, de fausse convoitise, aux plus expérimentées des hardeuses. Je pense à sa mère qui, en l'exhibant de la sorte, avant l'âge du foulard imposé, a dû reporter sur sa progéniture ses propres rêves bafoués.

Le photographe me fait signe d'entrer : *befarmâyin, befarmâyin.*

Je pénètre dans sa boutique où trônent, comme partout, les portraits de l'ayatollah Khomeyni et du Guide suprême actuel, l'ayatollah Khâmeneyi. Comme j'explique que je suis venue pour une photo de passeport, l'homme me répond que son collègue, celui qui doit prendre les photos, arrivera dans quelques minutes. J'en déduis qu'il n'arrivera pas avant une heure et je m'en veux aussitôt d'avoir choisi l'atelier Ecbâtâne et non l'atelier Mehdi. Je tente de sortir, prétextant que dans cet intervalle je dois me rendre chez un dépanneur en électroménager pour faire réparer mon sèche-cheveux que je trimballe dans un panier acheté à Aigues-Mortes, en France.

— Ton sèche-cheveux est en panne ? me demande-t-il.

Depuis l'instauration de la République islamique tout le monde se tutoie.

— Oui.

— Et comment c'est arrivé ?

Je réponds machinalement :

— Hier soir, en sortant du bain, quand je me suis mise à me sécher les cheveux, il s'est arrêté brusquement. Voilà.

— Tu l'as avec toi ?

— Le séchoir ? Oui.

— Tu peux me le montrer ?

— Bien sûr.

J'ouvre mon panier français. Il saisit l'instrument de ses mains gonflées, le regarde un instant, prend un tournevis dans un tiroir de son cagibi et attaque aussitôt la bête. L'homme est petit, mou, presque chauve, il a entre trente et trente-cinq ans et porte autour du cou une chaîne en or. Je sais maintenant qu'il est trop tard, que je viens de commettrre une erreur, que je ne sortirai plus de son atelier avant des heures. Le petit homme étale méticuleusement, devant moi, toutes les entrailles du Babyliss 2300W :

— Ne t'inquiète pas, c'est l'affaire de cinq minutes, précise-t-il.

Pourquoi n'ai-je pas choisi l'atelier Mehdi ? Là-bas, on ne m'aurait pas tutoyée, on n'aurait pas disséqué mon sèche-cheveux pour gagner du temps, pour me maintenir vissée dans la boutique, attendant un technicien.

Je suis sur le point de partir, je suis presque prête à renoncer à mon Babyliss, quand la porte s'ouvre soudain sur le photographe que nous attendions. Celui-ci est plutôt bel homme. Ses cheveux, abondants et drus, montent à l'assaut de son visage. Tout en gardant un œil sur le Babyliss en petits morceaux, je lui explique que je suis venue pour une photo de passeport.

— Bien, dit-il. Par ici.

De ses deux mains, il repousse la masse de ses cheveux vers l'arrière et m'indique un local sombre. Plusieurs manteaux islamiques y sont accrochés et, sur une table, je peux voir des foulards, des produits de maquillage et de démaquillage. Le photographe me précise que les mascaras, les brosses et les fards à joues sont destinés aux clientes iraniennes qui ont affaire avec les consulats étrangers ou qui vivent en Europe et aux USA. Elles profitent des tarifs très concurrentiels de l'Iran pour se faire tirer ici toute une série de portraits qu'elles fourniront, à leur retour, aux universités, aux préfectures de police, à quiconque en exigera.

Le photographe me désigne un manteau beige et me conseille de le revêtir, car ma chemise lui semble trop froissée. Je me garde de lui parler des fameux plissés d'Issey Miyake et je lui obéis. J'essaie, tout en enfilant le manteau, de ne pas en respirer l'odeur, que j'imagine imprégnée de celle du *shanbelileh,* une herbe qu'on ne trouve qu'en Iran et qui, quand on l'utilise en cuisine, ne quitte le corps du consommateur qu'après des jours et des jours de lavage. La moitié de l'Iran est imbibée de cette odeur, l'autre moitié de celle du pétrole.

Depuis mon enfance, je ne supporte pas l'odeur du *shanbelileh.* Je passe le manteau et, comme je le redoutais, je reconnais aussitôt l'exhalaison de la plante maudite. Je rejette le vêtement sur une chaise et j'explique au photographe que ma chemise froissée ne « froissera » pas les autorités du ministère de l'Intérieur, que je préfère la garder, et qu'il peut commencer à préparer son matériel.

— Très bien, dit-il.

Il me conduit au studio, règle la hauteur du siège, passe derrière l'appareil, revient, efface de son doigt, qui sent la cigarette, la trace légère de mon rouge à lèvres, remonte le zip de ma chemise. Puis, il immobilise mon menton et passe la main sous mon foulard pour faire rentrer une mèche de cheveux rebelle. Quel serait le verdict d'un docteur en religion, confronté à cette situation : une femme, seule avec un inconnu dans une pièce sombre, qui se laisse caresser les lèvres, le cou, le menton et les cheveux sans mot dire ?

— L'enfer, dans l'autre monde, la prison dans celui-ci, répondrait le docte.

Le photographe ouvre la porte qui donne sur le local-vestiaire. Il ne supporte pas le parfum de rose que je porte, cela lui rappelle trop, me dit-il, les mosquées et les cimetières. Je pense à ces milliers d'heures qu'ont passées les moines et les nonnes de l'Officina de Santa Maria Novella, à Florence, pour que leur effluve soit, un jour, assimilée à l'odeur des cimetières musulmans. Tous mes effets tombent à l'eau. Ni la chemise de Pleats, ni la *Rose* de Santa Maria Novella, ni même mes babouches Dries Van Notten ne parviennent à impressionner le photographe. Je regarde l'objectif sans sourire, je retiens mon souffle. Il prend la photo.

Nous sortons du studio. Sur le présentoir, le Babyliss est totalement démantelé. Le petit vendeur me rassure une fois de plus : je pourrai passer chercher les photos et le sèche-cheveux le soir même. Tout sera prêt.

Soudain mon portable sonne. On m'appelle de Paris. Je réponds en français et là, pour la première fois, j'impressionne. Tout à coup, on ne me tutoie plus. Après un moment de silence, le vendeur et le photographe, Hassan et Morâd – c'est par ces noms qu'ils se désignent mutuellement –, me proposent une chaise et du thé. Je veux régler et sortir, mais ils insistent. Les deux hommes finissent par me confier ce qu'ils souhaitent : se rendre n'importe où en Europe. Pour cela ils ont besoin de remplir une demande de visa Schengen. Hassan ouvre son attaché-case et me tend deux formulaires rédigés en suédois. Je leur dis que je ne parle pas le suédois, que je ne peux ni le lire, ni à plus forte raison l'écrire.

— Écrivez en français, cela n'a pas d'importance, répliquent-ils.

Je prends mon stylo et je remplis les cases qui correspondent à leurs noms. Je leur demande leur date de naissance selon l'ère chrétienne. Morâd passe ses mains dans ses longs cheveux, en un geste qui lui est apparemment familier, et avoue qu'il ne la connaît pas. Hassan non plus. Ils n'ont pas leur passeport sur eux. Ils m'annoncent qu'ils les apporteront eux-mêmes, chez moi, dans la soirée, avec les photos et le sèche-cheveux.

— Ce soir, je dois sortir avec mon mari, dis-je.

J'ai l'impression qu'ils saisissent aussitôt mon subterfuge, car ils précisent qu'ils déposeront le paquet auprès d'un voisin ou chez le gardien de mon immeuble :

— Vous n'aurez qu'à remplir les formulaires demain matin et à les glisser sous la porte du magasin. À n'importe quelle heure.

Me voici légèrement rassurée : je n'aurai plus à les revoir. J'acquiesce et je prends les formulaires.

— Combien vous dois-je ? finis-je par demander, le portefeuille à la main.

D'une même voix, ils refusent tout net d'être payés, ni pour les photos, ni pour le sèche-cheveux, qui pour l'instant est en pièces. Comme j'insiste, ils déclinent encore mon offre :

— Non, non, vous ne nous devez rien.

Je persévère. Toujours en vain. Je finis par céder. Je sais que le *târof* iranien, cette façon de refuser par politesse les choses qu'on désire le plus – dans un dîner, par exemple, on vous propose de vous resservir et, alors que vous en mourez d'envie, vous dîtes non, non merci et encore non –, a ses limites. Je sais qu'il ne faut pas insister et que les photographes sont, à leur manière, sincères dans leur refus. Cela fait partie de leur éducation, de leurs habitudes.

— Pourquoi vous voulez quitter l'Iran ? demandé-je avant de sortir.

Morâd, de nouveau, dégage ses cheveux de son front avec ses deux mains, me fixe de ses yeux noirs aux cils interminables, et me dit sans élever la voix :

— L'Iran est une cage.

Sans répondre, je referme sur eux la porte de la boutique.

Une fois à la maison, j'ouvre mon agenda pour rayer fièrement les mentions *faire des photos pour le passeport, réparer le sèche-cheveux,* quand je me mets à douter du bien-fondé de mon geste. En fait, à l'heure qu'il est, je n'ai ni photo ni sèche-cheveux.

Un peu plus tard, le gardien m'appelle sur le visiophone. L'appareil, comme l'immeuble, date de la fin des années 70. À l'époque, un appartement doté d'un visiophone faisait très chic, très dernier cri. Aujourd'hui, les pièces détachées de cet appareil n'existent plus nulle part, ni en Iran, ni en France et, quand, par inadvertance, on a le malheur d'y regarder son interlocuteur, une forme pâle et oblongue, assez effrayante, que devraient consulter les maquilleurs de science-fiction, apparaît en noir et blanc.

Je reconnais cependant sur le petit écran du visio-phone une barre noire horizontale qui coupe l'image difforme en deux. Il s'agit bien de notre gardien. Comme tous les Kurdes, il porte une moustache épaisse, à la Staline, et c'est elle que j'ai reconnue. Il monte me livrer, annonce-t-il, un paquet déposé par deux hommes.

M. Eskandari, notre gardien, a perdu la trace d'un de ses fils en Suède. Parti, en principe, pour faire des études ou pour travailler à Stockholm, ce fils y a rejoint la branche suédoise des Moudjahidins du peuple, mouvement de résistance armé, et n'a plus jamais donné de nouvelles. Que lui est-il arrivé ? On n'en sait rien. M. Eskandari a demandé à tous les habitants de notre immeuble qui se sont rendus en Suède de chercher le nom de son fils, là-bas, dans l'annuaire téléphonique.

M. Eskandari pensait, sans doute à juste titre, que son fils, en désaccord avec les chefs du mouvement, avait dû être liquidé par eux. Il se consolait de cette disparition en songeant que des centaines de milliers de jeunes avaient également perdu la vie sur le front Iran-Irak, mais cela n'empêchait pas ses yeux de briller d'une lueur particulière dès qu'il apprenait que quelqu'un se rendait en Suède.

Il sonne. Ma porte est toujours ouverte. Je n'arrive jamais à la fermer, m'imaginant encore dans notre ancienne maison, où la porte d'entrée donnait

19

sur un jardin. M. Eskandari entre, me tend le paquet, et je vois son regard s'éclairer du même espoir tenace, chaque fois ravivé par l'annonce d'un voyage en Suède. Je lui promets de demander aux photographes, une fois leur visa obtenu, de tout faire pour retrouver la trace du fils disparu. Il tire de sa poche une feuille de papier pliée en quatre, fatiguée et usée, celle-là même qu'il montre à chaque voyageur en partance pour Stockholm. Tandis que ses doigts effilés glissent sur une série de chiffres presque effacés, il me dit qu'ils pourraient essayer d'appeler ce numéro. Je recopie les chiffres – ce que j'ai déjà fait par le passé – et je le rassure de mon mieux en citant un vers qui annonce à Jacob le retour de son fils Joseph à Canaan, après des années d'éloignement.

Nous savons tous les deux que son fils est mort.

M. Eskandari redescend au rez-de-chaussée. Sa démarche, comme celle de tous les Kurdes, est droite et même hautaine. Elle n'a rien à voir avec celle des autres habitants de l'Iran. Ma mère était d'origine kurde et, malgré sa petite taille, elle fendait l'air comme un colosse.

J'ouvre le paquet, assaillie de nouveau par l'odeur de *shanbelileh*. J'y découvre mon Babyliss, remonté, remis en état. Je cours à la salle de bains, je le branche, il fonctionne. Je retourne au paquet et j'y découvre aussi mes photos, fort bien retouchées et même assez belles. Je parais avoir dix ans de moins. Mes sourcils, que je n'épile jamais, sont joliment dessinés et mes rides supprimées, tout comme la bosse de mon nez. J'espère que l'officier du ministère de l'Intérieur acceptera cette photo de non-identité.

Je feuillette distraitement leurs passeports. Visiblement, ils ne sont allés qu'en Syrie, où les Iraniens se rendent en pèlerinage sur la tombe de la sœur d'un de nos imams – je ne sais plus lequel. Avant la Révolution, personne n'allait en Syrie. Mais avec les dévaluations, les problèmes de visa et l'islamisation du pays, la Syrie est devenue, après La Mecque – pèlerinage obligatoire pour tout musulman – et la ville de Karbala en Irak – où repose l'imam Hosseyn, le petit-fils du Prophète – la destination préférée des bons pratiquants iraniens.

Avant la Révolution, les riches allaient en Suisse, les moins riches aux USA et la petite bourgeoisie – dite du bazar, comme les vendeurs de lacets – ne voyageait pas. Aujourd'hui, les charters pour la Syrie ne désemplissent pas. Ma femme de ménage et son mari, Mohtaram et Hâshem, s'y sont rendus. À leur retour, ils ne parlaient que du *king size bed* dans lequel ils avaient dormi pour la première fois de leur vie. À l'ordinaire ils dorment chez moi, dans la chambre de service. Le seul lit étant réservé à la femme, l'homme couche à même le sol. L'honneur est sauf, au moins sous mon toit.

Un *king size bed* à l'ombre du sanctuaire de la sœur d'un imam chiite… Quelle aventure !

Je remplis consciencieusement les deux formulaires des photographes, laissant sans réponse les coordonnées des amis et des relations sur place (ils n'en ont pas), ainsi que les noms des épouses et des enfants, que je ne connais pas. Je me dis quand même que je devrais les payer, que le service que je leur rends (remplir quelques lignes d'un formulaire) n'est pas comparable au prix des photos et de la réparation d'un sèche-cheveux. Je barre cependant dans mon agenda, et de façon définitive cette fois, les mentions *faire des photos pour le passeport, réparer le sèche-cheveux.*

Mission accomplie. Je suis ravie d'être venue à bout de deux tâches difficiles dans la même journée. Lorsque j'appelle mes amies pour leur faire part de mon exploit, toutes me conseillent de régler les photographes au plus vite.

Je mets le DVD de *Rapunzel,* doublé en persan, pour ma fille Kiara, qui est âgée de trois ans. Nous nous endormons sur le canapé de la bibliothèque.

Dimanche

Je me réveille avec l'idée bien arrêtée que je vais devoir affronter une nouvelle fois les photographes. La *guerre des târofs* aura lieu : insistance à vouloir payer de mon côté, obstination têtue à refuser du leur. Je pense même à une échappatoire : envoyer M. Eskandari à leur boutique avec la somme, approximative, que je leur dois, les formulaires à demi remplis et une lettre de recommandation, afin qu'une fois en Suède ils fassent tout pour retrouver le fils perdu de notre gardien.

Oui, c'est une bonne idée. J'appelle mon amie Narguess, qui, en Iran, est ma conseillère principale, et lui demande le tarif des photos d'identité. Elle m'annonce un chiffre qui me semble bien inférieur au prix habituel. Je sais aussi que mon amie a tendance à sous-évaluer toute chose. Auprès des commerçants, elle a toujours l'impression qu'on la gruge et, dès la deuxième phrase, elle aboie. Chez un brocanteur par exemple :

— Quel est le prix de ce vase ? demande Narguess.

— Quarante mille *tomans.*

23

— Quoi ? Qu'est-ce qui se passe ? s'écrie-t-elle aussitôt. Tu nous prends pour des ânes, ou quoi ? Dis-moi, ce n'était pas ton frère (elle aussi tutoie tout le monde, depuis la Révolution) qui a acheté à ma mère le même vase pour dix mille *tomans* ?

— Oui, mais c'était il y a dix ans. À l'époque le dollar était à cinq cents *tomans*, répond en général le brocanteur, non sans bon sens.

— Justement, aujourd'hui il est à mille *tomans*. Ton vase ne vaudrait donc pas plus cher que vingt mille ! clame Narguess, en haussant le ton, au point de parfois me gêner.

Dans ces cas-là il m'arrive de m'imaginer à Wall Street (toujours Wall Street !) préoccupée par le cours du dollar. Une chute soudaine, et totalement imprévue, de la monnaie américaine ferait-elle pencher la valeur du vase en ma faveur ?

Un jour, un client, qui s'était arrêté près de nous pour observer un de nos conciliabules, déclara soudain :

— J'ai vu le cours du dollar aujourd'hui. Il est à neuf cent quarante-cinq *tomans*.

J'oubliai l'objet que nous envisagions d'acheter et lui demandai :

— Et l'euro ?

— Mille cent et quelques.

Apparemment convaincue que sa vie dépendait ce jour-là du cours de l'euro, Narguess se mit à tonner :

— Mais non, il est à mille quatre-vingt-dix, pas un *toman* de plus !

Elle est comme ça. Elle discute tout, elle défend bec et ongles ses intérêts et ceux de ses amis. Au téléphone, dès que je lui parle du tarif des portraits d'identité, elle me recommande avec vivacité :

— Quatre mille ! Pas un *toman* de plus !

Je la remercie avant de raccrocher et décide d'interroger quelqu'un d'autre. J'appelle ma tante, la sœur de ma mère. Pour l'avoir au bout du fil, il faut impérativement passer par deux ou trois serviteurs, qui constituent toute la descendance de Mohtaram et de Hâshem. Chaque fois, même si je les ai vus la veille, je suis obligée de prendre non seulement de leurs nouvelles, mais aussi de celles de leurs enfants, de leurs petits-enfants – et, depuis l'année dernière, de leurs arrière-petits-enfants :

— Bonjour, saluez Samirâ, saluez Somayeh, saluez Simâ, Mojdeh, Hamid, Vali, saluez Kourosh, Monir, Kâzem, Tâleb…, Au fait est-ce que ma tante est là ?

Celle-ci finit par prendre enfin le téléphone et lâche un long soupir (si par hasard elle ne soupire pas, elle pleure) à cause de son mari, mon oncle, qui a perdu l'usage de ses jambes. Je la questionne aussitôt sur le tarif des photos d'identité.

— Mais je ne sais pas, comment veux-tu que je sache, moi ? grommelle-t-elle. Demande à Narguess !

Alors que je lui précise que j'ai déjà demandé à Narguess, je l'entends s'adresser à Hamid, le fils aîné de Mohtaram et de Hâshem, son homme à tout faire, qui passe sans doute par là.

— Pose le paquet sur le plan de travail ! s'écrie-t-elle. Mais non, pas là, plus loin, plus loin !

Je suis sur le point de raccrocher quand j'entends ma tante me dire :

— Le docteur Bashiri vient tout à l'heure. Je lui demanderai, pour les photos.

Le docteur Bashiri est le kiné qui vient tous les jours chez eux pour tâcher de ranimer les muscles désormais inactifs de mon oncle. Il leur apporte, avec des appareils d'étirement portatifs, toutes les nouvelles de la ville. Il est le médecin soignant de l'équipe nationale de football et sa jeunesse (vingt-huit ans) est une des fiertés de ma tante. Elle ne peut pas parler de lui sans souligner que, lors du départ du Shah, il n'avait qu'un an.

Le rondelet docteur Bashiri est également spécialiste du traitement de l'obésité. L'autre fierté de ma tante est de raconter qu'il a réussi, en un mois, à faire perdre seize kilos à sa propre femme. Hautement célébrés par ma tante, les mérites du docteur Bashiri sont parvenus jusqu'à Washington, où l'une de nos compatriotes en exil, après avoir vainement envoyé son fils plutôt grassouillet dans les cliniques américaines d'amaigrissement les plus renommées, et les plus inopérantes, a décidé de confier sa progéniture aux mains de ce jeune médecin.

C'est cet homme qui doit me renseigner avec certitude sur le tarif des photos d'identité. Il paraît qualifié pour ça. Pourquoi ? Je n'en sais rien. Je ne le demande même pas.

J'attends deux ou trois heures, le téléphone sonne. J'entends la voix de Hamid, le factotum de ma tante :

— Bonjour madame, vous allez bien ? commence-t-il.

— Oui, et toi ?

— Merci. Monsieur va bien ?

— Merci.

— Kiara *djoun*, Kiara l'adorée, va bien ?

— Merci, elle va bien.

— Saluez tout le monde de ma part.

À mon tour de saluer sa famille :

— Hamid *djân*, cher Hamid, salue ta femme, tes fils, ta fille, ta sœur et ses filles, salue tes frères et leurs enfants.

— Je leur transmettrai combien vous êtes grande et honorable. *Doctor* Bashiri veut vous parler.

Le docteur Bashiri veut connaître d'abord le montant indiqué par Narguess. Manifestement, il n'y connaît rien et je me dis que j'ai perdu toute ma matinée à attendre un renseignement d'un médecin sportif qui, au lieu de m'informer, commence par m'interroger. Sentant ma réticence, il ajoute :

— J'ai fait des photos d'identité l'année dernière, quand j'accompagnais notre équipe de foot au Bahreïn. Êtes-vous jamais allée au Bahreïn ?

Avant que la conversation ne s'engage à n'en plus finir sur le sultanat de Bahreïn et les progrès remarquables qui y ont été accomplis en deux décennies alors que nous, en Iran, nous n'avons fait que régresser... je cède :

— Quatre mille *tomans*. Narguess a dit quatre mille.

— Oui, c'est ce que je pense moi aussi. Autour de quatre mille. L'année dernière, j'ai payé moins de trois mille. Mais avec le dollar qui n'arrête pas de monter et l'inflation…

J'en profite pour lui demander le cours de l'euro, par réflexe, par habitude, parce que, machinalement, tout le monde ne cesse de se le demander. Même Hamid, qui n'a jamais quitté l'Iran.

— Mille cent quatorze *tomans*, aujourd'hui.

Je le remercie.

— En fait, Nahâl *khânoum*, madame Nahâl, reprend-il avant de raccrocher, est-ce que vous pourriez me mettre en relation avec Adidas ?

— Avec Adidas ?

— Oui, je vais vous expliquer pourquoi : je voudrais acheter les droits de leur marque pour l'Iran. Et si ça vous intéresse, nous pouvons même nous associer.

J'entends derrière lui la voix de ma tante, qui écoute cette conversation et qui semble déjà se réjouir de recevoir des baskets et des sneakers gratuits.

Sans paraître trop étonnée, je décline poliment l'offre du docteur Bashiri et je précise qu'en France je ne connais vraiment personne dans le *sport's wear*. Il insiste, il revient sur notre possible partenariat. Je refuse encore plus poliment, devinant que sa proposition ne repose que sur le fait que je parle français. Le docteur Bashiri parle anglais, mais un anglais appris dans les écoles iraniennes après le persan et l'arabe, ou pratiqué sur internet et testé tant bien que mal sur les chaînes de télévision étrangères. Cet homme fait partie de ceux qui regardent les informations de CNN et de la BBC (diffusées en anglais bien sûr), mais sont incapables de formuler le moindre bout de phrase, à part *good morning* et *how are you*.

Toujours très poliment, je rassure le docteur Bashiri, sans chercher à l'humilier pour ses faiblesses linguistiques, et je lui promets de tâcher de lui trouver un partenaire bilingue, ou même trilingue. Je pense à Narguess, qui a déjà travaillé aux USA pour Beneton.

— Non, non ! m'interrompt-il. Il s'agit d'une offre confidentielle, très juteuse et susceptible d'éveiller l'appétit des autorités. La discrétion s'impose. (Il baisse la voix pour ajouter :) Je vous donnerai des détails précis un peu plus tard.

Il ne veut pas parler au téléphone. Sans doute soupçonne-t-il d'être sur écoute.

— Oui, dis-je. Très bien, très bien, nous en parlerons, c'est entendu.

Je raccroche, enfin. Une matinée perdue.

Le visiophone sonne. Toujours la barre horizontale de la moustache sombre de M. Eskandari, le gardien, et sa voix qui m'annonce que les deux photographes sont là. Je ne veux pas qu'ils montent. Je m'apprête à descendre moi-même pour les régler et leur remettre les formulaires. Mais une voix ancestrale, originelle, séculaire, une voix qui me parle de temps en temps sans que je sache d'où elle vient, me suggère qu'il faut les inviter à monter. Cela se fait, c'est l'usage. Une part de moi n'a aucune envie de les recevoir, de leur offrir le thé, d'entamer une conversation sur l'insertion, toujours difficile, des Iraniens dans les pays étrangers, une autre part sait que je ne pourrai pas faire autrement. La voix (*ma* voix) me l'ordonne.

J'appuie sur le bouton du visiophone.

— Faites-les monter, demandé-je au gardien.

29

Entre-temps, je me rends à la salle de bains. Je rectifie mon rouge à lèvres et je me rends compte que je porte toujours mon ensemble Pleats. L'aspect froissé de ce vêtement exprime clairement, aux yeux des Iraniens, une nonchalance naturelle. Impossible pour eux d'imaginer qu'un vêtement ait pu être créé froissé.

Tant pis : je n'ai pas le temps de me changer. Ils sonnent. J'annonce à haute voix que la porte est ouverte… qu'elle est toujours ouverte.

Dès qu'ils entrent, les deux hommes veulent se déchausser. Depuis la Révolution, l'habitude est prise de retirer ses souliers à l'entrée de tout appartement. Ce geste, là encore, s'explique : le sol du lieu où se célèbre la prière ne doit pas être foulé par des chaussures souillées. De ce fait, chaque fois que je veux me rendre dans un organisme gouvernemental, au ministère de la Justice, par exemple – où se traitent les litiges dus aux expropriations des premières années de la Révolution (ma mère en a été victime) –, je sais que je devrai me déchausser avant d'être reçue par le juge ou le conseiller du ministre, un religieux enturbanné. Il faut donc penser à porter ce jour-là des chaussettes opaques, afin que le vernis rouge des orteils ne saute pas aux yeux du juge. Ce qui invaliderait toute requête.

Je me rappelle encore une scène où, deux ou trois ans plus tôt, je m'adressais à toute la population masculine d'un village, dans le nord. L'audience était composée d'hommes qui avaient profité de la Révolution pour s'emparer des terres de ma mère. Alors que je me tenais devant eux, déchaussée comme il se devait, ma seule préoccupation avait été de dissimuler le vernis de mes orteils : je posais un pied sur l'autre, veillant à ce que l'un recouvre l'autre.

Je décide de laisser les photographes entrer chez moi avec leurs chaussures. La seule idée qu'ils pourraient enlever leurs souliers fatigués, la bride arrière rabattue (en souvenir des ancestrales babouches qui étaient dépourvues de cette attache) et les déposer dans l'entrée de mon appartement, au pied d'un Bouddha debout où brûle en permanence un encens japonais, m'écœure quelque peu. Je préfère qu'ils les gardent. J'insiste, même. Je glisse quatre mille *tomans* dans une enveloppe. Et les deux hommes pénètrent dans mon salon, les chaussures aux pieds.

Mohtaram, la femme de ménage qui travaillait déjà pour ma mère, nous apporte du thé. Jeune, Mohtaram avait la peau hâlée, le nez mince, presque osseux, et un corps svelte. Pourtant, elle ne rêvait que d'une peau blanche, d'un nez charnu et d'un corps grassouillet. Ma mère et moi, nous nous disions toujours que si elle était née dans une famille bourgeoise, elle aurait, aidée par son physique ultra branché, épousé le fils d'un banquier et passé ses vacances à Gstaad, au lieu de Qom. Finalement, plus grasse mais toujours basanée, elle vient s'installer chez moi et se mettre à mon service à chacun de mes déplacements en Iran. Ses cheveux sont dissimulés par un foulard comme avant, sous le régime du Shah, mais ce qui a changé par rapport à cette époque c'est qu'elle ne porte plus le tchador. Pour sortir, Mohtaram revêt, comme toutes les autres femmes non *tchâdori*, un simple manteau, qui cache ses formes.

La présence d'une femme de ménage, qui montre que je suis d'une bonne famille, met définitivement un terme au tutoiement des photographes. Je les remercie pour le sèche-cheveux, je leur tends les formulaires et l'enveloppe. Ils saisissent les documents mais posent l'enveloppe sur une table basse, sans l'ouvrir.

Le *târof* commence. Non, ils ne veulent pas de rétribution. Hors de question. Cela dure une bonne demi-heure durant laquelle, sachant que je finirai par céder, je cherche un moyen de les rémunérer quand même. Au cours de la conversation, j'apprends soudain que leurs femmes, associées elles aussi, sont couturières. Je crois être sauvée. Je possède en effet les derniers numéros de *Vogue*, rapportés clandestinement d'un voyage à Paris (au risque d'être arrêtée par un douanier). Les employés des douanes, en effet, demandent à chaque femme qui rentre en Iran si elle ne transporte pas de vidéo ou de *burda*. Le mot *burda*, dans leur vocabulaire, est le nom générique qui correspond à tout magazine de mode. Les exemplaires ainsi confisqués sont envoyés au ministère de la Guidance islamique, auprès d'un employé consciencieux qui passera toutes ses journées à colorier, à la main, les jambes et les bras nus des modèles, afin de les rendre conformes à l'image officielle de la femme islamique.

Le Bureau du coloriage s'occupe aussi à noircir les catalogues des musées et les livres d'art. C'est une entreprise de maquillage universel. Au moment même où, sur le site avizoon.com, de jeunes Iraniennes, d'origine modeste – cela se détecte d'un simple coup d'œil à la rusticité de leur mobilier, visible en arrière-plan – exhibent leur sexe aux yeux du monde entier, un fonctionnaire assombrit consciencieusement, au marqueur noir, les seins d'Aphrodite dans le catalogue du Louvre.

Je suis sûre que mes numéros de *Vogue*, non coloriés, satisferont pleinement mes visiteurs, et surtout leurs femmes. Mais lorsque je veux les leur offrir, je sens la totale désapprobation de Mohtaram qui nous sert une deuxième tasse de thé. Pour elle, en effet, ce qui se trouve chez moi m'appartient. Et ce qui sort de chez moi lui appartient. Quand un fer à repasser tombe en panne, il est hors de question de le faire réparer. Il me faut le donner à Mohtaram. C'est la règle, d'autant plus stricte qu'elle est non formulée. La réparation du sèche-cheveux, en ce sens, représentait une véritable trahison de ma part, l'affirmation que ces objets usuels restaient ma propriété même au-dehors de chez moi, ce qui est proprement inconcevable.

Mohtaram ne jette rien. Absolument rien. Elle récupère les flacons de mes shampoings quand ils sont vides, les remplit d'une mousse savonneuse et les expose, tels des bibelots, sur le lavabo de son propre appartement.

Pressentant (et son instinct ne la trompe pas) que les trois numéros de *Vogue* vont lui échapper, elle regagne amèrement la cuisine et ne répond pas au téléphone qui sonne. Les trois numéros à la main, je calcule vite que le prix d'un exemplaire dépasse, si tant est que cela puisse se chiffrer, le tarif des photos d'identité, et que donner les trois numéros, outre le risque de mécontenter gravement Mohtaram, pourrait paraître provoquant, arrogant, d'une générosité presque suspecte. Sans attendre, sans réfléchir davantage, je leur tends deux numéros et j'ajoute avec un beau sourire :

— Un exemplaire de *Vogue* pour chacune de vos épouses.

Mohtaram, qui m'écoute de la cuisine, accepte alors de décrocher le téléphone, qui continuait de sonner. Elle sait qu'elle vient de sauver le troisième exemplaire, lequel ira garnir sa table basse, également conquise chez moi, l'année précédente, lorsque j'ai réaménagé mon appartement.

Mohtaram annonce que Narguess me demande au téléphone. Je me rends à la cuisine et j'explique à mon amie, qui veut savoir si les quatre mille *tomans* ont satisfait les photographes, que j'ai conclu l'affaire en leur donnant deux des derniers numéros de *Vogue*.

— Deux numéros de *Vogue* ! proteste-t-elle avec véhémence.

Même Mohtaram, qui saisit sa réaction, approuve aussitôt la contrariété de mon amie :

— Tu vas voir ! poursuit Narguess. Ils vont vendre tes *Vogue* dans leur atelier dix fois plus cher que le prix de tes photos !

— Ils ne vont pas les vendre. Je les ai offerts à leurs femmes, qui sont couturières.

— Couturières ? Leurs femmes sont couturières ?

— Oui, c'est ce qu'ils disent. Couturières associées.

La voix de Narguess vient de changer. Je sens qu'elle réfléchit. Un instant plus tard, elle reprend :

— Tu sais ce que tu pourrais faire ? Montre-leur les chaises que tu veux recouvrir.

— Tu crois ?

— Mais oui. Montre-leur tes chaises.

En réalité, je n'ai qu'une envie : qu'ils s'en aillent au plus vite avec leurs magazines. Je regagne le salon. Et là, malgré moi, je ne peux éviter d'observer du coin de l'œil mes chaises. Elles sont recouvertes d'un tissu qui ne va pas, à mon avis, avec le reste du mobilier. J'ai déjà demandé à plusieurs tapissiers de venir les emporter, pour les refaire. Tous ont refusé, pour des raisons diverses.

— Est-ce que vos femmes travaillent aussi pour la décoration ? demandé-je à mes visiteurs.

— C'est-à-dire ?

Sans attendre, je leur montre les chaises.

— Elles font de l'ameublement ? Ces chaises, par exemple, elles pourraient les retapisser ?

Ils les examinent attentivement et échangent un regard :

— Bien entendu. Pas de problème, déclare Morâd.

Et ils acceptent de les emporter tout de suite. Je sors un instant pour chercher le tissu, que j'ai déjà acheté – un simple jute. Je regagne le salon et je leur tends le rouleau.

Ils n'en reviennent pas : recouvrir des chaises de style XVIIIe français (pour eux le comble du raffinement) d'un tissu grossier et informe ? J'insiste, là encore. J'ai l'habitude de ce genre de réaction. Lorsque, quelques années auparavant, après la mort de ma mère, j'ai vendu son mobilier de style gustavien, acheté en Suède dans les années soixante-dix, pour le remplacer par des consoles et des tables en fer, si j'excepte le décorateur et moi-même, seules trois ou quatre personnes approuvèrent mon choix, parmi lesquelles Narguess, laquelle admirait la décoration moderne sans toutefois en accepter le coût.

Les photographes-réparateurs de sèche-cheveux-tapissiers essaient poliment de me dissuader. Ils s'efforcent de me convaincre que ces chaises méritent un tissu plus noble, plus digne de moi et de mon appartement. Mais leurs tentatives sont vaines. C'est bien ce tissu-là que je veux.

Narguess rappelle. Elle a réfléchi. Cette fois elle me recommande de ne pas leur donner tout le lot de tissu.

— Pourquoi ? dis-je à voix basse.

— Ils ne te rendront jamais les chutes.

Je prends le risque. Je n'ai pas envie de les voir, là, chez moi, ciseaux en main, déployer le tissu et se mettre à le découper. Qu'ils emportent tout le rouleau. Tant pis.

— Autre chose, continue Narguess. Je me suis renseignée. Pour le renouvellement de ton passeport, il ne faut plus aller à l'Organisme général des passeports. Il y a un bureau dans chaque quartier qui est maintenant chargé de cette tâche. Je viens de passer devant celui de ton quartier, il est bondé. Les gens dorment toute la nuit devant l'immeuble pour pouvoir y entrer dès le matin.

Je lui réponds que j'irai vérifier moi-même, estimant qu'il n'y a aucune raison que soient subitement désorganisés les bureaux des passeports.

— Mais ils sont en train d'informatiser tout le système ! réplique-t-elle. Tu n'es pas au courant ?

L'année dernière, un renouvellement de passeport prenait deux jours. Maintenant, ça demande un mois !

Ce « ils », cette troisième personne du pluriel, désigne l'administration islamiste au pouvoir. Ce « ils » est une façon de déclarer que ce n'est pas « nous ».

— Tu es sûre de ce que tu dis ?

— Absolument certaine.

— Et si je ne veux pas passer la nuit dans la rue ?

— Ils proposent et encouragent même d'envoyer les documents par la poste. Mais dans ce cas cela prend encore plus de temps. Deux ou trois mois.

— Mais qu'est-ce que je vais faire ?

Mon mari, qui est français, commence à s'impatienter, cela se sent au ton de sa voix lorsqu'il appelle de Paris. Les trente jours d'absence prévus sont presque écoulés. Il faut que je rentre.

— Narguess, il est hors de question que j'attende un mois pour le renouvellement de mon passeport. Tu es vraiment certaine de ce que tu racontes ?

— Va voir par toi-même ! Les gens y passent toute la nuit ! Tout le monde crie, mais ça ne sert à rien ! Va voir, si tu ne me crois pas !

Passer la nuit à attendre n'est pas véritablement un problème. Je peux envoyer un des fils de Mohtaram faire la queue à ma place. Mais comment attendre ici encore un mois sans que mon mari ne s'énerve ? Comment lui expliquer qu'un simple renouvellement de passeport peut, aujourd'hui à Téhéran, pour des raisons obscures de passage à l'informatique, prendre plus d'un mois ?

Je demande à Narguess si elle ne connaîtrait pas quelqu'un à l'Organisme général des passeports. Au bout d'un moment, elle me suggère d'interroger le docteur Bashiri, le kiné de mon oncle.

Je ne veux plus passer par le docteur Bashiri, ni par les chaussures Adidas, le sultanat du Bahreïn et tout le reste… Non !

— Tu ne verrais pas quelqu'un d'autre ?

— Je vais interroger les gardes du corps de mon patron. Ils font partie des services secrets, me répond Narguess. Ils auront peut-être une idée.

Je raccroche plutôt désemparée et je regagne le salon. Les photographes, qui ont tout entendu, m'informent alors (toujours avec politesse et gentillesse) qu'ils connaissent un médecin qui serait sans doute en mesure de régler mon problème de passeport.

Un médecin ? Pourquoi un médecin ? Sans me répondre directement, Morâd veut savoir si je ne verrais pas d'inconvénient à ce que le médecin en question m'appelle ce soir, même tard. Je lui donne mes numéros, de fixe et de portable. Il les note soigneusement. En moins de vingt-quatre heures, Hassan *âghâ* et *âghâ* Morâd, M. Hassan et M. Morâd (comme je les appelle), me sont devenus indispensables.

Pour finir, Hassan s'avance vers la table basse et prend les formulaires. Nous nous serrons la main, acte proscrit par la Révolution. Depuis l'instauration de la République islamique, ce geste est en effet honni et strictement interdit. Car le contact de la main d'une femme pourrait exciter l'homme, lui faire perdre tout contrôle et l'écarter du droit chemin. Depuis la Révolution, l'homme islamique est devenu particulièrement fragile et menacé… je me demande souvent pourquoi.

Comme toutes les autres femmes iraniennes, j'ai mis beaucoup de temps à me retenir de tendre la main à un homme. Comme toutes les autres, je réservais, au début, cette interdiction à ceux que je rencontrais à l'extérieur ; ceux de l'administration, des universités, des hôpitaux. Et puis, très vite, le doute s'est installé. Dans une réunion familiale, par exemple, fallait-il serrer la main des inconnus invités par mes parents ? Un ami d'enfance, descendant des Qadjars – la dynastie royale qui précédait les Pahlavis –, se mit soudain à pratiquer strictement l'islam et à ne plus serrer la main des femmes. Je n'étais pas au courant de cette transformation et lorsqu'un jour je le croisai chez ma tante, alors que je m'avançais vers lui pour l'embrasser, les deux bras ouverts, comme j'avais coutume de le faire, il recula brusquement. J'ai aussitôt pensé que, marié avec une pratiquante, il voulait désormais éviter les baisers d'une autre femme. Mais quand je lui ai tendu la main, il a reculé de plus belle, comme pris de panique.

Et il y a plus encore. L'islam nouveau interdit non seulement le contact de la chair d'un inconnu, d'un *nâ mahram*, d'un homme qui ne fait pas partie de la famille immédiate – père, frère et fils –, mais il interdit aussi de croiser son regard.

Habituée à sourire à tout homme, à lui serrer la main, à l'embrasser éventuellement sur la joue et à le regarder dans les yeux, il me fallut du jour au lendemain, comme toutes les autres femmes, me contraindre à ne pas sourire, à ne tendre ni la main, ni la joue, et (ce qui fut le plus difficile) à ne pas regarder mon interlocuteur quand je lui parlais. Apprendre à détourner les yeux : qui l'eût pensé ?

Trente ans de loi islamique n'ont pas encore réussi à venir totalement à bout des ces « actes pervers ». J'ai appris que, tout récemment, l'interdiction de serrer la main a été retirée aux diplomates iraniens. La France et l'Iran ont failli rompre leurs relations à la suite de la main tendue de Mme Chirac, que refusa de serrer l'ambassadeur d'Iran. L'affaire dut être réglée par le Guide en personne, l'ayatollah Khâmeneyi, qui, du bout des lèvres, autorisa cette exception. Il m'arrive encore aujourd'hui, plongée par moments dans une confusion totale, de refuser de serrer la main d'un cousin, d'embrasser brusquement un inconnu ou de saluer des amies très proches en joignant mes deux mains à la hauteur du visage, comme une Indienne.

Les deux photographes repartent avec mes douze chaises et tout un lot de jute. Je suis satisfaite. J'ai mes photos d'identité, mon sèche-cheveux est réparé, mes chaises sont emportées (il a fallu plusieurs voyages) et le médecin que connaissent Morâd et Hassan m'évitera – c'est promis – de faire la queue toute une nuit devant le bureau local des passeports.

Je me rends dans la bibliothèque, que j'ai laissée intacte par respect pour les livres de mes parents, tous deux écrivains. Regarder leurs livres, ceux qu'ils ont lus et ceux qu'ils ont écrits, c'est les regarder eux-mêmes, comme s'ils étaient encore là.

Je suis en train de ranger les jouets de ma petite fille, laquelle passe ses journées chez ma tante, lorsque Mohtaram surgit dans la pièce, les deux numéros de *Vogue* à la main. Les photographes ont délibérément oublié les magazines, poussant jusqu'à l'extrême le *târof.*

Je m'élance sur la terrasse. Ils sont en train de traverser la rue.

— Vous avez oublié les *Vogue*! m'écrié-je.

Ils savent de quoi je parle et pourtant ils demandent :

— Les quoi ?

Le jeu continue.

— Les *Vogue*!

Et je les secoue. Puis je les jette. Le vent les emporte dans une chute qui contamine, un instant, l'air purifié de l'Iran islamique par des images de mini-jupes et de shorts échancrés. M. Eskandari les réceptionne adroitement, au pied de l'immeuble. Il lève la tête dans ma direction. Ses yeux scintillent dans l'espoir d'avoir enfin quelques nouvelles de la Suède grâce à ces futurs voyageurs, qui ne manqueront pas d'y suivre les pistes de son fils fantôme. En guise de gage, ou d'acompte, il leur donne triomphalement les deux *Vogue.*

Ils me font un geste et s'en vont. Ils emportent chacun quatre chaises. Les autres attendent devant la porte sous la surveillance de M. Eskandari. Les photographes reviendront, pour d'autres voyages.

Je passe la soirée chez ma tante, entourée de sa cour de serviteurs, tous plus oisifs les uns que les autres. Trois personnes travaillent chez elle sans lui apporter le moindre confort. Elle nettoie, repasse et cuisine elle-même, sous l'œil complaisant de Hamid, de sa femme Masserat et de sa sœur Samirâ. Ils sont, par ordre d'apparition le fils, la belle-fille et la fille de Mohtaram.

Ma tante est l'une des femmes les plus adorables que je connaisse. Il y a très longtemps, son mari, alors âgé d'une quarantaine d'années, décida d'arrêter de travailler et de vivre de ses rentes. Très amoureuse des yeux verts de cet homme – alors que quatre-vingt-dix-neuf pour cent des Iraniens ont les yeux noirs –, ma tante ne protesta pas et se contenta d'une rente qui allait, d'année en année, en s'amenuisant. Quand elle compare aujourd'hui sa vie avec celle de certaines de ses amies, devenues très riches, ma tante n'omet jamais de rappeler que, à l'époque où leurs maris circulaient encore dans des voitures d'occasion, le bel homme aux yeux verts possédait la seule Thunderbird blanche de la capitale, un véhicule que même le Shah convoitait. Aujourd'hui, elle n'a plus qu'un petit appartement dans un immeuble déjà vieillissant de Téhéran, mais elle ne peut s'empêcher de dire, chaque fois qu'il est question de son amie Jâleh – laquelle vit entre Antibes, Gstaad et Aspen –, que c'est à cette même Jâleh qu'elle avait prêté sa propre robe de mariée, une robe griffée, afin de l'aider à inaugurer sa vie de couple.

Je sonne à sa porte. Masserat m'ouvre. Je l'embrasse, puis j'embrasse Samirâ. Masserat est une grosse femme de trente ans, qui suit, encouragée par ma tante, le régime d'amaigrissement prôné par le docteur Bashiri. La technique est simple, dit-il à qui veut l'entendre : « Pour commencer, réduisez de moitié, pendant une dizaine de jours, la quantité de nourriture que vous avez l'habitude de manger, ensuite réduisez encore de moitié, pendant une nouvelle période de dix jours, la nouvelle quantité, et ainsi de suite. » J'ignore dans quelle phase de réduction se trouve actuellement Masserat. Mais à la vue des bourrelets qui débordent du tee-shirt à paillettes orange que je lui ai offert, elle ne doit pas encore avoir franchi le cap décisif des dix premiers jours.

Samirâ, sa belle-sœur, est à quarante ans déjà grand-mère d'une petite fille qui porte mon prénom – de ce fait, Mohtaram l'affuble d'un *khânoum* (madame) par respect pour moi. Samirâ est une jolie femme à qui manquaient, faute de soins, les dents de devant. Là encore mon compte bancaire et la procuration que possède ma tante ont contribué à l'installation d'une rangée de fausses dents, à un prix d'ami, réalisée par un dentiste, qui effectivement est un ami de longue date.

Puis je serre la main de Hamid. Sa main tendue est une façon comme une autre de résister à l'ordre islamique. Il prie, il jeûne, il impose le foulard à sa femme. Mais il me serre la main. Dans sa parade triomphante, la Révolution a oublié Hamid et les siens, c'est-à-dire la majorité de l'Iran.

Ma fille me conduit au chevet de mon oncle dont le lit trône au milieu du salon. Mon oncle, je l'ai dit, ne peut plus marcher. Avant de perdre l'usage de ses jambes, il avait commencé à ne plus quitter sa ville. Puis son quartier. Puis sa maison. Après son petit déjeuner, et plus tard après son déjeuner, il prenait un ou deux coussins et s'installait confortablement dans un sofa, où il demeurait sans bouger le reste de la journée. Le soir venu, il se relevait pour aller s'asseoir à table, puis il se couchait pour la nuit. Je considère sa paralysie comme une riposte de la nature : « Tu ne veux pas de nous, semblent dire ses jambes. Eh bien, adieu, nous t'abandonnons. »

Ils n'ont pas d'enfant. Toute sa vie ma tante s'est reproché de n'avoir pas pu perpétuer les gênes rares de son homme aux yeux verts. À leur mariage, elle lui a donné son héritage, fruit de la vente de centaines d'hectares de terre dans le nord de l'Iran, et elle a toujours approuvé toutes ses décisions, pour le seul vert de ses yeux. Petit à petit, tandis que passaient les années, elle en a fait son enfant. Il lui est même arrivé de se réjouir d'une aventure extraconjugale de son époux. Au moins, de cette manière il se divertit, disait-elle.

Mon oncle ne parle pas, ou très peu. Lorsqu'il s'exprime, c'est en général pour agresser et même parfois pour insulter son interlocuteur. Leur entourage ne les fréquente que pour la douceur et la bonhomie de ma tante. Pourtant, dans son amour sans bornes pour son mari, elle prétend exactement le contraire : « Untel ne viendra que si tu es là, tu sais. Le pâtissier a confectionné un gâteau rien que pour toi, selon ton goût, et le boucher t'a réservé son plus tendre morceau, dans le filet, comme tu aimes. »

Rien n'est vrai dans tout ça. Je n'ai jamais su si mon oncle la croyait vraiment. S'il pensait vraiment que les plus proches amies de ma tante n'acceptaient de lui rendre visite, à elle, que s'il se trouvait, lui, à la maison ; ou que les mains du pâtissier ne pétrissaient la pâte qu'à son intention ; ou que le boucher, oubliant ses plus belles clientes, recherchait pour lui des trésors cachés dans sa chambre froide.

Hamid, le fils de Mohtaram, a quarante-deux ans. Avant que ma tante ne l'engage comme factotum pour s'occuper de son mari invalide, il vivait avec sa femme et ses trois enfants dans un sous-sol qu'il louait grâce au salaire de sa femme, garde d'enfants chez une cousine. Comme la majorité de la jeunesse iranienne, Hamid se droguait à l'opium. Ma tante l'engagea pour la seule raison qu'elle ne pouvait pas garder la nuit, à la maison, un étranger, et elle ferma les yeux sur le visage jaune, les joues creuses, la dentition ruinée et la démarche molle de son nouvel homme à tout faire.

Elle espérait que, choyé par elle, Hamid se désintoxiquerait assez vite. En vain. Cependant, grâce à un salaire largement supérieur aux rémunérations habituelles, il emménagea dans un rez-de-chaussée – premier signe d'une ascension sociale –, acheta un lit pour sa fille aînée, qui ambitionnait d'aller à l'université, et enfin fit l'acquisition d'un téléphone portable. Dès les premiers jours de son service auprès de ma tante, alors que les larmes de celle-ci ne tarissaient pas et que les médecins se succédaient au chevet de mon oncle, Hamid m'emmena à l'écart et me demanda à voix basse si je pouvais lui prêter mon portable.

Je lui expliquai que depuis que ma fille l'avait jeté dans les WC, il ne fonctionnait plus.

— Ça m'est égal qu'il ne marche pas, me répondit-il. Je veux juste le mettre dans la poche arrière de mes jeans.

— La poche arrière de tes jeans ? répétai-je, très étonnée.

Pendant ce temps, un chirurgien réputé, présent ce jour-là, interrogeait désespérément tous les membres de la famille de Mohtaram afin de trouver un poste de télé pour suivre une intervention de Bush à propos du nucléaire iranien sur CNN.

Impertubable, Hamid se tourna et glissa sa main dans sa poche arrière.

— Vous voyez, dit-il, je veux que le portable déborde de ma poche. Comme ça. Je veux qu'il soit visible.

Je le laissai là un instant, le temps d'indiquer au chirurgien la pièce où se trouvait la télévision. J'en profitai pour récupérer dans mon sac le portable noyé et le donnai à Hamid, qui le glissa aussitôt dans sa poche arrière.

L'appareil déambula ainsi, pendant plusieurs mois, dans l'appartement de ma tante, sous les yeux du corps médical le plus pointu de la capitale.

À présent, c'est un vrai portable qui dépasse de sa poche de blue-jeans. Finie, la frime. Il arrive même que ce téléphone sonne.

Hamid m'apporte, sur un plateau, une tasse de café et de la bière légèrement alcoolisée. Celle-ci est livrée sur demande à l'appartement de ma tante, avec d'autres boissons interdites, par un Arménien que nous connaissons.

Hamid sait que, dans la journée, quand je passe voir ma tante, je demande du café et non, comme tous les autres invités, du thé. Il me tend le plateau.

— De la bière et du café, dit-il.

Ce café, que je n'ai pas réclamé, signifie que Hamid a l'intention de me demander quelque chose – un emploi pour son beau-frère, ou une attestation de fin de service militaire (alors qu'il est déserteur). Il ne peut pas s'agir d'argent, car lorsque Hamid est dans le besoin, c'est ma tante qui s'en charge, en abusant de sa procuration sur mon compte bancaire, avant même que je n'y consente. J'ai su, longtemps après, que je finançais ainsi les frais de scolarité d'une des petites-filles de Mohtaram.

Je me sers un peu de bière. Hamid reste dans le salon, le plateau à la main. Je suis assise au bord du lit de mon oncle et je l'encourage à boire. Hamid ne bouge toujours pas. Ça y est, il va me demander l'attestation de fin de service militaire, me dis-je.

Au même moment, ma tante sort de la cuisine, délaissant momentanément Masserat et Samirâ, ses interlocutrices privilégiées – toute la journée, elle leur parle et travaille à leur place. Elle s'avance vers moi et m'annonce que l'ordinateur portable, offert par un de mes amis, est, selon le docteur Bashiri, complètement obsolète, bon à jeter. Hamid hoche la tête, mais je ne suis pas d'accord. En le donnant à ma tante, mon ami avait juste recommandé une mise à jour. De là à le jeter…

Je compare soudain la fierté qu'affiche Mohtaram à exhiber mes flacons de shampoing et le regard de Hamid qui m'encourage à jeter un portable Toshiba, fraîchement arrivé d'Angleterre. Je sens là comme une conspiration. C'est clair. Il est évident que ma tante est de mèche avec Hamid. Depuis la paralysie de mon oncle, elle n'a qu'une hantise : que Hamid s'en aille. Aussi anticipe-t-elle tous ses désirs. Avant même que la chaleur ne fasse fondre l'asphalte des rues de Téhéran, et peut-être un jour tous ses habitants, ma tante pense à offrir des ventilateurs à Hamid. Même les cousines qui reviennent des États-Unis surenchérissent pour plaire à ma tante, chacune y va de sa chemise Calvin Klein, ou de son polo Ralph Lauren.

Have, maigre et totalement inutile, Hamid passe ainsi son existence entre le silence et les cadeaux.

Le diagnostic du docteur Bashiri sur l'état de l'ordinateur doit être un stratagème de ma tante pour tâcher de justifier sa libéralité envers Hamid, le don d'un ordinateur que l'on déclare « bon à jeter ». Je résiste pourtant à ma tante et au café de Hamid. Je réplique que j'irai moi-même à Pâytakht, au centre d'informatique, pour faire réviser l'ordinateur. Et aussitôt je me repens. Comment y aller ? Pâytakht est situé à l'extérieur de la zone du trafic limité, mais depuis peu la circulation alternée des voitures en numéros pairs et impairs réduit encore tous les déplacements.

Et avec qui y aller ? Pourquoi perdre une matinée, ou davantage, à faire réparer un ordinateur que n'utilisera sans doute jamais ma tante et qui, de toute manière, finira un jour entre les mains de Hamid ?

Je m'obstine. J'irai à Pâytakht coûte que coûte. Tant pis.

Hamid retourne à la cuisine avec le plateau de café. Je sais qu'il ne rapportera pas de bière. Mon téléphone sonne.

— Je suis le docteur Askarniâ, annonce une voix. *Âghâ* Morâd m'a communiqué votre numéro. Que puis-je faire pour vous ?

Je lui explique que je dois donner d'urgence une conférence en France et que mon passeport n'est toujours pas renouvelé. Que je n'étais pas au courant des nouvelles dispositions. Et que je ne peux pas faire la queue toute une nuit devant le bureau local des passeports, ni attendre un mois.

— *Âghâ* Morâd et Hassan *âghâ* sont mes frères, répond-il. Je ne peux rien leur refuser.

Comme notre conversation a commencé par une affirmation de liens de fraternité, je sais d'emblée qu'il me faudra payer, et même très cher. Je n'ose pas lui demander ce que cela me coûtera. Cela ne se fait pas. Il me raccrocherait au nez, même s'il comptait – ce qui est à peu près certain – me demander de l'argent.

— Rendez-vous demain matin à 9 heures, continue le docteur Asharniâ, à l'entrée de l'Organisme général des passeports, à Shahrârâ.

— Mais les renouvellements de passeport ne se font plus que dans des bureaux de quartier…, dis-je.

— Je sais, je sais. Mais l'officier que je connais travaille à Shahrârâ. C'est là que nous devons aller. Vous me reconnaîtrez facilement. Je ressemble à Sattâr…

À Sattâr, mais en plus petit, précise-t-il.

Ouf. La référence à Sattâr, ce chanteur vedette des années 70, idole de mon enfance, actuellement exilé à Los Angeles, signifie que le docteur Askarniâ n'est pas l'un « d'eux ». Sinon, il ne m'aurait pas parlé de Sattâr. J'en conclus que, si je le vois demain, je me sentirai probablement à l'aise avec lui.

Je le remercie et lui assure que je serai là à 9 heures.

Je raccroche. Je rejoins ma tante dans la cuisine pour lui annoncer fièrement que j'ai réussi, par mes propres moyens, à éviter la longue attente inévitable pour un renouvellement de passeport. Pourtant une petite voix en moi, ma petite voix, celle qui, depuis la mort de ma mère, se fait son écho, me prévient des risques que je prends. Confier son passeport à un médecin qui ressemble au chanteur Sattâr, un homme recommandé par les photographes de l'atelier Ecbâtâne que je ne connais que depuis vingt-quatre heures à peine, est loin de constituer une assurance d'efficacité. Mais la fierté de me sentir indépendante, d'échapper aux relations de ma tante, et aussi à ses gentilles manigances, m'empêche d'écouter à la petite voix.

— J'irai demain à Shahrârâ et de là à Pâytakht.

Ma tante a l'habitude de tout raconter à son mari. Lorsqu'ils rentraient d'un dîner en ville, à l'époque où mon oncle marchait encore, elle lui relatait, en détail, le déroulement de la soirée qu'ils venaient à peine de quitter. Tout y passait : le nom des invités, les robes, les chaussures, la composition du menu… Elle vit toujours les choses deux fois. Déjà, avant son mariage, quand elle revenait du cinéma avec sa meilleure amie, elle lui racontait l'histoire du film qu'elles venaient de voir ensemble.

Malgré la somnolence de mon oncle, elle se précipite pour l'avertir de mon audace. Depuis sa paralysie, mon oncle a opté pour une vacance générale de tous ses sens. Sa voix tremble, son regard vert est flou, ses oreilles semblent ne rien entendre. Pourtant, à l'énoncé de mon histoire, il se redresse légèrement, se met à toussoter et finit par proclamer d'une voix ferme qu'il conteste ma démarche.

Mon oncle a peur de tout. Il a toujours eu peur, toute sa vie. Malgré son honnêteté inégalable – probablement due à plus de quarante ans d'inactivité –, il craignait autrefois la Savak, les services secrets du Shah, comme il appréhende aujourd'hui ceux de la République islamique. Chaque renouvellement de passeport se traduisait alors, pour lui, par une semaine d'insomnie et des heures de réconfort dans les bras de ma tante, qui lui expliquait patiemment que rien, absolument rien, ne le menaçait. Lorsque, acculé par le temps, il lui fallait enfin aller à l'Organisme général des passeports – là où je dois moi-même me rendre demain, à 9 heures, pour rencontrer le sosie, mais en plus petit, du chanteur Sattâr –, il se faisait accompagner par un cousin ou un ami parfaitement inutile, mais qu'il rétribuait pour ce déplacement.

Le renouvellement du passeport est donc pour mon oncle une affaire très sérieuse, presque une tragédie, qui nécessite des somnifères puissants, un conjoint compréhensif et des amis disponibles. L'idée que je vais entreprendre ce combat sans que les conditions soient réunies lui semble inconcevable. Après un long préambule sur le fait que les Anglais ne laisseront jamais l'Iran tranquille, il me manifeste sa totale désapprobation. Ma tante l'écoute en hochant la tête.

Quant au chapitre sur l'Angleterre, mon oncle fait partie de cette génération d'Iraniens qui voient la main secrète des Anglais partout – non seulement en Iran et dans le Moyen-Orient mais aussi en Europe et aux États-Unis. Les Anglais sont partout. Ils dirigent le monde. D'après mon oncle, Bush ne prend aucune décision sans consulter Blair. Il n'est qu'une marionnette entre ses mains. La Knesset est aux ordres de la Chambre des Lords, tout comme le sont le Hezbollah libanais et les ayatollahs iraniens. Inutile de lui demander : « Dans ce cas, pourquoi se font-ils la guerre ? » Il se fâche et réplique sèchement : « Je m'exprime en persan, n'est-ce pas ? »

Récusant la possible mainmise des Anglais sur l'Organisme général des passeports en Iran (cela me paraît improbable), je répète à mon oncle que j'ai besoin de mon passeport.

— Je suis contre, m'interrompt-il. Je m'exprime en persan, n'est-ce pas ?

Ses mains recommencent à trembler, son corps se ramollit et s'affaisse. Il retrouve sa posture de paralytique. Je sais que la discussion est close.

Pour neutraliser la méfiance persistante de ma petite voix, il me faut absolument un assentiment. Je ne peux pas le chercher du côté de ma tante : elle ne contredit jamais son mari. Il est déjà tard, mais je sais que je peux appeler Narguess. Ce que je fais. Elle est dans sa voiture et se rend, après avoir récupéré chez un libraire des livres commandés par une très bonne amie qui vit à Paris, auprès d'une hôtesse de l'air qui s'envole demain pour la France. Je me fais l'écho de ma petite voix, je lui raconte brièvement mes inquiétudes : me voici soudain entourée d'inconnus, qui emportent mes chaises, qui me donnent des rendez-vous dans la rue dès le matin…

Au milieu des insultes qu'elle adresse aux passants et aux autres conducteurs, Narguess me donne un avis favorable :

— Tu n'as rien à craindre… Fils de chien, ralentis ! Laisse-moi passer ! Demande lui aussi, par la même occasion, à ce docteur, s'il peut te faire avoir ta carte nationale.

Je repousse aussitôt l'idée de me procurer la carte nationale d'identité, le fameux *kârt-e melli*. Selon le docteur Bashiri, Hamid et ma tante, la toute première démarche, qui consiste à se rendre à la Banque centrale pour payer les frais d'enregistrement de ce *kârt-e melli*, exige de six à sept heures de queue. « *Kârt-e melli, badan, badan* », plus tard, plus tard, me dis-je, dédaignant ainsi l'obtention de ce document sans lequel toute entreprise légale est impossible. Je sais que je ne demanderai pas à Sattâr l'obtention du *kârt-e melli*. C'est mon passeport que je veux.

— Une dernière chose…, dis-je à Narguess.

Elle est arrivée chez l'hôtesse de l'air. Je l'entends la saluer.

— Quoi ? reprend-elle.

— Combien je lui donne ?

— Rien ! Tu ne lui donnes absolument rien ! Quand il te rendra ton passeport, tu verras avec les photographes. Pour l'instant, rien !

Je l'entends qui explique à l'hôtesse de l'air et à son mari qu'un sosie de Sattâr, mais en plus petit, s'est proposé d'arranger le renouvellement de mon passeport. Je veux raccrocher au plus vite, car j'appréhende leur réaction, et peut-être même leurs moqueries.

Je dis au revoir. Le dernier mot de Narguess est très ferme :

— Rien, tu m'entends ? Tu ne lui donnes rien !

Un peu plus tard, quelqu'un sonne à la porte. C'est une jeune cousine. Elle vient déposer ma fille qu'elle a emmenée, pour la soirée, avec son fils, dans un parc d'attractions. Tout s'est bien passé, apparemment.

Je me sens lasse. Hamid, qui a gardé la voiture de son frère, nous reconduit, ma fille déjà endormie et moi, à la maison.

Lundi

Le réveil matinal est aussitôt suivi d'une vérification de tous les documents : photos islamiques, carte d'identité – bientôt désuète – et le numéro de mon futur *kârt-e melli*, obtenu miraculeusement par téléphone, par simple communication de ma date de naissance. Je m'habille d'une manière islamiquement correcte : pantalon large, manteau long et foulard surdimensionné. Je me maquille très discrètement avec un rouge à lèvres qui, à peine visible, ne vise que ma satisfaction personnelle. Je demande une *âjâns*, c'est-à-dire un taxi.

Je grimpe dans l'*âjâns* et j'indique au chauffeur ma destination :

— Organisme général des passeports, à Shahrârâ.

Travailler pour une *âjâns*, ce qui signifie être chauffeur de taxi, est devenu le second emploi de bon nombre d'Iraniens des grandes villes. On peut, sans le savoir, prendre un taxi conduit par un professeur de mathématiques dont le salaire ne s'élève qu'à trois cents euros par mois, alors que le loyer de son deux-pièces dépasse largement ce montant. On peut aussi utiliser une *âjâns* dont le chauffeur, tout juste débarqué dans la capitale, ne parle que le turc, la langue (ce que peu de gens savent) de plus d'un tiers de la population iranienne.

Il m'est arrivé un jour, en rentrant d'une soirée, de monter dans une *âjâns* dont le chauffeur était invisible. Sa tête dépassait à peine au-dessus du volant, tant il avait reculé le siège et abaissé le dossier. La voiture sentait le haschisch. Là encore, ce soir-là, ma petite voix était intervenue pour me dissuader de monter. Mais j'avais déjà ouvert la portière et salué le chauffeur, qui se trouvait quasiment à l'horizontale. La timidité, ou la courtoisie, l'emportant sur la petite voix, je m'installai dans la voiture, en donnant l'adresse en toute hâte. Le taxi démarra sur une musique *new age* diffusée par un MP3 fixé sur le tableau de bord, où un écran visualisait les sons.

— Vous vous y connaissez en *new age* ? me demanda l'homme, toujours couché, sans chercher à cacher son apathie.

Je me fis la remarque qu'il ne me tutoyait pas et je répondis aussitôt, pour ne pas perdre la face :

— Est-ce que vous avez du Peter Gabriel ?

Couché comme il était, je me demandais comment il pouvait conduire et je commençais sérieusement à regretter le triomphe de ma timidité sur la petite voix.

Il tendit la main, saisit, depuis le siège avant, la commande de son système audio-vidéo – sa position couchée ne lui permettait pas d'atteindre le tableau de bord – et me mit aussitôt un CD de Peter Gabriel.

Tout le long du trajet, je me demandai quel pouvait être l'autre emploi du chauffeur : DJ dans une boîte clandestine, serveur chez Monsoon, le Bouddha Bar local ?

Mon chauffeur d'aujourd'hui arbore une moustache fournie et une barbe de trois jours, ce qui signifie peut-être qu'il tient à observer les règles nouvelles de l'islam, selon lesquelles un homme ne doit jamais se raser complètement (je n'ai jamais su pourquoi).

— Les passeports ne sont plus renouvelés à Shahrârâ, me prévient-il, mais dans des bureaux de quartier.

— Oui, je le sais.

Puis je me tais.

Je redoute d'engager la conversation. Si je le faisais, il pourrait me dissuader de voir Sattâr, il pourrait même me proposer les services de quelqu'un d'autre. Ma tante, qui ne cesse de raconter ses malheurs à tous les chauffeurs de taxi, m'appela un jour pour me dire que le voisin du cousin du chauffeur du taxi qu'elle venait de prendre était le garde du corps du Guide suprême et pouvait lui exposer ma requête permanente – celle qui concerne nos terres confisquées du Mâzandarân, dans le nord, terres dont je sollicite depuis des années la restitution – et que cet homme, le voisin du cousin du chauffeur, pourrait peut-être intervenir en ma faveur.

Je me tais, donc. Lorsque nous arrivons à Shahrârâ, je le préviens que je le garde pour toute la matinée. Je descends et j'attends, devant l'entrée des locaux, le sosie de Sattâr. Des gens passent, je ne leur prête aucune attention. Aucun d'eux ne ressemble à notre star des *seventies*. Je me surprends, assise sur des tuyauteries de travaux publics, à fredonner le grand tube de Sattâr : « *Shâzdeh khânoum, tcheh pâki-yo tcheh bi riyâ beh manzel-e khod âmadi, khod âmadi* », littéralement : « Ô princesse, tu vins, avec ta pureté et sans artifice, auprès de moi, auprès de moi. »

Je chantonne toutes les paroles, jusqu'à la fin, jusqu'à la déclaration d'amour du jeune voyou à la princesse, contente d'avoir momentanément étouffé ma petite voix, la voix éveillée, la voix consciente, celle qui a pour mission de me prévenir du danger.

Sattâr est visiblement en retard. Je l'appelle sur son portable. Il me rassure : il sera là dans dix minutes. Une demi-heure passe et je vois en effet débouler le sosie de Sattâr à moto : même barbe ultra modelée, mêmes sourcils arqués, même courbure du nez, même sourire narquois. En plus petit. Mais j'ai été prévenue. Je me lève, je le salue, sans toutefois lui serrer la main. Il me parle chaleureusement, comme à une vieille connaissance, tout en tirant son attaché-case du coffre de sa moto.

— À présent nous devons nous procurer le formulaire, me déclare-t-il.

Je regarde, à travers le grillage, la queue qui mène au guichet du retrait des formulaires et j'en déduis que nous en avons pour une bonne heure d'attente. Sans même un regard dans cette direction, Sattâr me demande de le suivre. Nous nous dirigeons vers l'entrée d'une banque, un peu plus loin, où des voitures sont garées sous le panneau INTERDICTION DE STATIONNER, SOUS PEINE D'ENLÈVEMENT.

Là, deux hommes sont en train de vendre discrètement des formulaires. Sattâr, de son vrai nom docteur Askarniâ, me propose de leur en acheter un.

— Cela nous évitera de faire la queue, précise-t-il.

Je paie. Le tarif, cinquante fois plus cher que le prix légal, est justifié par le fait que les deux hommes remplissent également les documents. Ils savent comment s'y prendre.

Le docteur Askarniâ me suggère de leur donner mon passeport. La petite voix, cette fois, n'a même pas le temps de protester, car je réplique aussitôt que moi aussi je sais remplir des formulaires.

Sattâr ne paraît pas convaincu.

— Ils ont l'habitude, insiste-t-il. Ils répondent aux questions d'une manière professionnelle.

Je m'interroge sur la manière de remplir en amateur des cases correspondant à « adresse » ou « nom du père »…

— Et puis leur écriture est très lisible, ajoute-t-il en prenant mon passeport.

Je me laisse persuader. L'un d'eux pose le formulaire sur le capot arrière d'une voiture et se met à le remplir. À tout hasard, je garde un œil sur le document. Arrivés à la case « emploi », l'homme inscrit automatiquement « ménagère ». Je proteste. J'ai un doctorat, je donne des conférences, je publie des livres !

— Il ne manquerait plus qu'il marque « écrivain » ! intervient Sattâr. Est-ce que tu te rends compte, au moins ? Non seulement on ne pourra pas accélérer ta demande mais il faudra attendre longtemps, très longtemps, avant que ton dossier soit examiné ! Réfléchis un peu !

Il n'a pas tort. Je commence à réaliser qu'il existe bien une manière professionnelle de répondre à des questions banales sur un formulaire. Devant la case « motif du voyage », il écrit « tourisme ».

— Mais non, soufflé-je à l'oreille de Sattâr, c'est pour une conférence que je dois donner sur les rapports du bouddhisme et du mysticisme iranien.

Sans prêter la moindre attention à ma remarque, Sattâr encourage le scribe :

— C'est bien, c'est très bien. Continue.

Puis, soudain, il me regarde fixement, pendant cinq ou six secondes et me déclare de but en blanc :

— Tu manques de magnésium. Tu dors mal, n'est-ce pas ?

Je manque en effet de magnésium, mais je dors très bien. Sans lever les yeux du formulaire qui se remplit à toute vitesse, je lui réponds que je me porte bien.

— Je suis médecin, insiste-t-il. Ça saute aux yeux que tu ne te portes pas bien.

Tout d'un coup, comme pour lui donner raison, je sens ma tête tourner et ma tension chuter. Je songe un instant que je devrais peut-être lui avouer que ma tension est très faible et que je souffre fréquemment de vertiges.

Mais ma petite voix résiste à cet aveu. Elle n'a pas tort. Il ne faut pas exposer mes faiblesses à cet homme. Je me tais.

Le formulaire est rempli. Je suis une ménagère iranienne qui se rend à Paris comme touriste. Pour remédier à ma chute de tension, je cherche dans mon sac un bonbon caramélisé. Problème : je n'en ai que deux. En comptant les deux scribes nous sommes quatre, et il est d'usage, avant de consommer une nourriture, d'en proposer à son entourage. Et comme je ne me vois pas couper les bonbons en quatre, je renonce à mon bonbon, préférant mon vertige aux doigts inévitablement collés.

Sattâr et moi finissons par prendre congé des scribes et repartons vers la grille d'entrée. Mais tout à coup, alors que nous nous trouvons à trois mètres à peine du portail, un homme surgit et accoste Sattâr.

— Je suis spécialement venu, ici, aujourd'hui, pour vous voir !

L'homme a une trentaine d'années. Il arbore une barbe fournie. Le col de sa chemise, qui a dû autrefois être blanche, est parfaitement boutonné. Ses pantalons sont trop courts mais ses chaussures me semblent bien cirées.

Ma petite voix me fait remarquer que Sattâr reçoit ses « clients » en plein air, tous les jours, autour de 10 heures, devant l'entrée de l'Organisme général des passeports. Est-ce bien normal ? Ne devrais-je pas me méfier un peu ? Pourtant je ne tiens aucun compte de ces avertissements. Sattâr s'avance et serre chaleureusement la main du nouveau venu. Il s'appelle Madjid. C'est en tout cas le nom que Sattâr lui donne.

— Madjid *djân*, mon cher Madjid, lui dit-il, je ne t'ai pas reconnu du premier coup. Que t'arrive-t-il ? Je te sens un peu affaibli.

Ma petite voix se fait un peu plus précise : Sattâr reçoit non pas ses clients mais ses patients, tous les

61

jours, autour de 10 heures, devant l'entrée de l'Organisme général des passeports. C'est là qu'il consulte.

— Ouvre ta bouche ! Tire la langue.

Madjid s'exécute. J'essaie, mais en vain, d'éviter de regarder les dents plombées et la langue charnue de Madjid. Celui-ci, après ce très bref examen, saisit la main de Sattâr.

— *Doctor djân*, je t'en prie, aide-moi, s'écrie-t-il. Ce n'est pas de ma santé qu'il est question. Je n'ai que toi. Il n'y a que toi qui puisse m'aider.

Sattâr, alias le docteur Askarniâ, me prie de l'excuser et me dit en français, mais avec un fort accent persan :

— *Force mâjor.*

Je m'assieds de nouveau sur les tuyaux et j'écoute malgré moi la conversation des deux hommes. Je ne les connais ni l'un ni l'autre et pourtant je ne peux pas me décider à m'en aller.

— *Doctor djân*, écoute-moi... J'ai besoin d'urgence d'un œil.

Sattâr ne paraît aucunement étonné.

— Tu as de quoi écrire ? demande-t-il aussitôt.

Madjid tire un bloc-notes usé de la poche intérieure de sa veste et le lui tend. Sattâr griffonne quelques mots.

— Tu vas, de ce pas, voir le docteur Sahâbi de ma part, dit-il. Sahâbi. Voici son adresse. Je n'ai pas son numéro de téléphone. Si sa secrétaire ne te reçoit pas, propose-lui de m'appeler. Je t'écris ici le numéro de mon portable. Tu peux me lire ?

La vigilance de ma petite voix est balayée par cette recherche d'œil. Ma raison, interpellée, ne peut pas s'empêcher de s'interroger sur l'identité de Sattâr. Un vrai médecin ? Un trafiquant d'organes ? Un charlatan qui essaie tout simplement de m'impressionner avec cette mise en scène dans le seul but d'augmenter, à la fin, le tarif du service rendu ?

J'ai envie de téléphoner à Narguess. Je me retiens.

Madjid jette un coup d'œil au griffonnage de Sattâr. Il ne semble pas convaincu. Sattâr désigne le nom du docteur Sahâbi sur le bloc-notes et devient plus précis :

— Tu lui expliques bien que la morgue lui enverra, demain matin, une nouvelle paire d'yeux et qu'il peut te donner un de ceux qu'il a dans son cabinet. Explique-lui bien ça. Tu m'as compris ? Il ne manquera pas d'yeux. Demain, la morgue lui en rendra deux. C'est sûr et certain. Je m'en porte garant.

Je suis toujours assise sur les tuyaux des travaux publics. Je n'ai qu'à me lever, contourner les deux hommes, monter dans l'*âjâns* qui m'attend de l'autre côté de la rue et regagner le monde de la raison, le monde calme et ordinaire, celui dans lequel on ne négocie pas une paire d'yeux, en évoquant la morgue, devant l'entrée de l'Organisme général des passeports. Pourtant, je ne bouge pas.

— Vous êtes sûr qu'il me donnera un œil, comme ça, sans prescription ?

— Oui. Mais dis-lui bien que tu me connais ! Qu'il m'appelle, s'il a des doutes !

Il se tourne vers moi et répète :

— *Force mâjor.*

Je brûle de savoir ce que Madjid veut faire d'un œil. Sattâr aussi, sans doute, car il finit par demander :

— Au fait, cet œil, tu le veux pour qui ?

— *Doctor djân*, il y a une semaine, j'ai engagé une douzaine de Lors pour finir la toiture de l'immeuble que je construis.

Les Lors sont les habitants d'une province pauvre de l'est de l'Iran, le Lorestân. Ils sont nombreux à venir dans la capitale, prêts à accepter n'importe quel travail.

— Je te félicite, Madjid. Tu construis quelque chose ?

— Oui.

— Et il est où, ton immeuble ?

— Oh, ce n'est pas pour vous, *doctor djân*. Il n'est pas digne de vous. C'est une petite chose de six étages au Madjidiyeh.

— Ah, tout de même… *Khob, khob*, continue.

— Un de ces Lors, ne sachant pas manipuler le goudron, a trop approché sa tête du chaudron et il s'est fait brûler les deux yeux. Je l'ai emmené aussitôt aux urgences. Mais ils m'ont dit que c'était déjà trop tard. Maintenant, il me demande douze millions de *tomans* de dédommagement et au moins un œil.

Je convertis mentalement ce montant en euros : cela donne environ douze mille, au cours du jour.

Mes connaissances médicales, qui sont minces, ne me permettent évidemment pas de savoir s'il est possible de greffer un œil à un grand brûlé qui vient de perdre la vue. Toujours est-il que je ne bouge plus. Le monde peut s'effondrer, je ne quitterai pas ma place. Tout se passe ici, sur le trottoir, devant l'Organisme général des passeports, à cet instant précis où un médecin et un promoteur débattent du transfert d'un

œil. Je ne veux rien en perdre. Je n'appelle pas Narguess. C'est décidé.

— Les douze millions de *tomans*, continue
Madjid, je les ai réunis. Ça a été difficile, mais finalement je les ai. Mais *doctor djân, que je me sacrifie pour
ton beau visage*, sans toi, sans cet œil, j'irai en prison.

— Quelle crapule, mon *âghâ* Madjid ! Ah,
bravo, *sad âfarins*. Vraiment. Moi je me tue à travailler et à courir après une bouchée de pain et toi,
mon garçon, tu réunis douze millions en moins d'un
jour.

— Je les ai empruntés ! J'ai mis mon pauvre
immeuble en gage ! J'ai même prévendu un des lots !

— À combien le mètre ?

— Un million deux cent mille *tomans*.

— Aussi cher que ça, dans le Madjidiyeh ?

— *Doctor djân*, j'ai acheté sur plan à un cousin,
tu comprends ? Il avait engagé, pour construire lui-
même, un architecte qui est diplômé d'Espagne.

— Et alors ?

Soudain, il n'est plus question d'œil, ni de cet
ouvrier lors aveugle, venu de sa rude province natale
avec, au fond de sa tête, le rêve d'une vie meilleure. Il
n'est question que d'immobilier.

— À la finition, dit Madjid, je vous inviterai
pour voir l'immeuble. Moi, je n'ai jamais voyagé en
Espagne. Mais ceux qui y sont allés, comme *âghâ*
Amir, le boucher, ils disent que mon immeuble ressemble à ce qu'ils ont vu là-bas.

Je ne sais pas dans quelle ville le boucher *âghâ*
Amir a pu se rendre en Espagne et à quoi il compare
l'immeuble de Madjid. À la Sagrada Familia de Barce-

lone ? À l'Alhambra ? Au Musée de Bilbao ? J'imagine, se dressant au beau milieu du quartier populaire de Madjidiyeh, une réplique de la Pedrera de Gaudi. À vrai dire, cela ne m'étonnerait plus. Téhéran n'est aujourd'hui qu'un fouillis d'immeubles bâtis par des architectes irresponsables. Un étalage de non-inspiration, un pot-pourri de tout ce qui se fait de pire un peu partout. Devant mon immeuble, par exemple, se dresse une construction dont les étages affichent, deux par deux, un style différent. Ainsi le premier et le deuxième présentent des colonnes sculptées sur le modèle de Persépolis avec, sur la façade, la reproduction (simplifiée) des fameux soldats achéménides, cheveux bouclés et nez aquilin. Le troisième et le quatrième étages, eux, sont dotés d'une terrasse en bois qui rappelle, je ne sais pourquoi, les chalets suisses ou autrichiens. Suspendus aux fenêtres, des bacs de géraniums sont une menace permanente pour les passants qui n'en peuvent mais. Le cinquième et le sixième étages évoquent l'extérieur d'un loft new-yorkais, le septième et le huitième un temple japonais. Le neuvième étage s'achève, enfin, par une pyramide vaguement égyptienne.

Même à l'époque du Shah, Téhéran était une capitale sans grand intérêt. Son histoire ne remonte qu'au XVIIIᵉ siècle, à la dynastie qadjare – où se confirme la décadence de l'art et de la civilisation iraniens. À Téhéran, même les rares bâtiments anciens ne possèdent aucune particularité, comparés à ceux, prodigieux, émouvants et éternels, d'Ispahan, de Shirâz, de Yazd (et j'en passe). Un jour, alors qu'un architecte en vogue me faisait visiter son dernier chef-d'œuvre, une tour de trente étages, je constatai, plutôt surprise, que toutes les pièces étaient à angles aigus, qu'il était impossible d'y poser un lit ou un canapé contre un mur. Il m'avoua, non sans quelque fierté, qu'il avait affronté d'immenses difficultés pour imaginer – il disait « créer » – cette tour.

— La vraie inspiration me manquait, disait-il, jusqu'à ce que je trouve l'idée du papillon. Tu vois, ma chère Nahal, la tour est conçue sur le modèle des ailes d'un papillon.

— Ah, vraiment ?

Je regrettais, mais sans le dire, qu'elle ne fût pas tout simplement édifiée sur le modèle d'une habitation humaine, quelle qu'elle fût. Et je doute que des papillons soient jamais venus la visiter.

Bien qu'ils fussent déjà assez laids, les immeubles bâtis au temps du Shah ne dépassaient pas les dix étages et les maisons des quartiers résidentiels, enfouies dans des jardins immenses, restaient le plus souvent discrètes. Le sud de Téhéran était pauvre, le centre administratif et le nord riches. La Révolution n'a pas vraiment modifié cette répartition. Le changement vient de la surpopulation : en trente ans, les habitants de la capitale sont passés de trois à douze millions. Par conséquent, ce qu'autrefois on appelait le nord est presque devenu le centre. Le nord d'aujourd'hui a gagné sur la montagne Alborz, qui domine la ville, et que le béton escalade. L'ouest rejoint presque la ville de villégiature Karadj, le sud arrive à la porte du cimetière Behesht Zahrâ où reposent les martyrs de la guerre Iran-Irak et où s'élève, surtout, le mausolée de l'imam Khomeyni.

Il est rare aujourd'hui de trouver, dans les quartiers du nord, un vrai jardin, comme au temps de mon enfance, avec une large allée et un bassin. Ces grandes maisons blanches, des années 40, ont été soit confisquées par le régime islamique soit vendues par leurs propriétaires à des promoteurs immobiliers qui rasèrent d'abord les arbres centenaires avant de construire, là où habitait une famille de cinq personnes avec deux ou trois serviteurs, une tour de vingt étages prévue pour quatre cents occupants. Les ruelles d'autrefois, qui n'étaient fréquentées que par les quatre ou cinq voitures des résidents, supportent aujourd'hui le passage, sauf erreur de ma part, de près de deux mille voitures par jour – en ne comptant que celles des riverains. Et si jamais, un jeudi soir (l'équivalent du samedi soir occidental), quelques-uns de ces heureux habitants décident de recevoir à domicile, il faut multiplier le nombre de passagers et de stationnements par cinq ou six.

Dans cette folie anarchique de construction, chacun y est allé de son mauvais goût. Je n'oublierai jamais une observation de ma mère qui disait : « Téhéran est finalement devenue très belle, parce que, maintenant, il y règne une harmonie dans la laideur. Tout est uniformément laid. » Et elle n'avait pas tort. Elle avait rarement tort.

Le quartier de Madjidiyeh est situé à l'est de Téhéran. À l'époque, notre chauffeur y habitait et, la seule fois où je m'y étais rendue, je devais assister au mariage de sa sœur, un après-midi d'automne. Les rues étaient étroites et pleines de garçons « aux cous frêles, aux jambes maigres et aux cheveux emmêlés », comme dit Forough, notre grande poétesse. Les femmes en tchador revenaient de leurs courses, un panier en plastique rouge à la main. Les filles, vêtues d'un uniforme bleu et les cheveux défaits, après toute une journée d'école, sonnaient à la porte de leur maison. Le Madjidiyeh d'aujourd'hui, avec en son centre la « Pedrera » de Gaudi (pourquoi pas ?), doit abriter aussi, sans doute, la « Pyramide » de Pei et le « Beaubourg » de Piano. Et que sais-je encore.

— J'espère que, d'ici à la finition de ton immeuble, ajoute Sattâr à l'intention de l'homme qui cherche un œil, j'aurai pu réunir assez d'argent pour t'acheter l'équivalent d'une niche.

— Tout ce que j'ai vous appartient, *doctor*. Cependant, les lots qui me restent ne sont pas à votre niveau. Ils ne font que de cent à deux cents mètres carrés.

— Tu n'aurais pas un petit duplex ?

— *Doctor djân*, j'en ai un. Mais c'est pour les enfants.

Les « enfants », dans sa bouche, veut dire simplement son « épouse ». Faire allusion directement à sa propre femme, pour cette partie de la société, pratiquante et traditionnelle, est indécent. Le mot lui-même ne s'utilise pas. Aussi, chaque fois qu'il est question des « enfants », faut-il entendre « épouse ».

— *Bâsheh*, *bâsheh*. C'est entendu. Mais la prochaine fois que tu construis un immeuble, pense à ton pauvre et misérable *doctor*, qui se bat pour vivre.

— Mes enfants sont vos humbles serviteurs. Ils sont la poussière foulée par vos pieds. *Doctor djân*, procure-moi cet œil, je t'en prie.

De nouveau Sattâr me regarde. Je le devance et lui déclare :

— *Force mâjor.*

Sattâr m'invite à le suivre jusqu'aux voitures-bureaux des scribes. Il leur demande du papier à écrire. Ils n'en ont pas. Il fait acheter à Madjid un formulaire de renouvellement de passeport – toujours aussi cher –, sur le dos duquel il fait écrire par le scribe sa requête adressée au docteur Sahâbi. Il signe le document et il le remet à Madjid qui se plie en deux et baise la main de son bienfaiteur. Je m'interroge : la valeur de cette lettre équivaut-elle au prix d'un duplex dans le quartier du Madjidiyeh ?

À ce compte-là, combien coûterait le renouvellement de mon passeport ? Une nouvelle moto ? Pourquoi pas une voiture ?

Madjid s'en va. Nous nous trouvons, Sattâr et moi, à deux pas du portail. Il est 11 heures. Je me dirige vers le vestibule réservé aux femmes. Depuis la Révolution, un contrôle vestimentaire est imposé à l'entrée de tous les locaux administratifs. En général deux ou trois femmes, sévèrement voilées, y sont assises. Elles jettent un coup d'œil rapide au contenu du sac de chaque visiteuse et inspectent sérieusement son visage et ses mains, qui doivent être dépourvus de maquillage et de vernis, ainsi que la longueur du pantalon, du manteau et des manches.

Au début de la Révolution, le passage dans ce vestibule constituait une vraie corvée. Les contrôleuses, celles qui avaient le pouvoir de nous refuser l'entrée, venaient des couches les plus défavorisées de la société, auxquelles la Révolution avait octroyé l'immense privilège de nous maltraiter. Elles prenaient enfin leur revanche. Un simple manteau serré à la taille nous valait une salve d'insultes :

— D'où tu sors ? Qui t'a élevée ? On ne t'a pas appris à te conduire dans la vie ?

Pourtant, on ne nous avait appris que ça. Mais il fallait surtout ne pas répliquer, baisser la tête, desserrer le manteau et partir au plus vite. Peu à peu, avec le temps, les contrôleuses fouillèrent davantage les sacs et s'intéressèrent plus à ce qu'ils contenaient qu'au maquillage des visiteuses.

— Ah, elle est bien jolie la couleur de ton rouge à lèvres, me dit un jour une de ces inspectrices.

Aussitôt je lui offris mon tube, sentant par ce geste que je retrouvais une partie, si minime fût-elle, de ma suprématie perdue.

Après presque trente ans de régime islamique, les contrôleuses sont toujours là. Ce n'est évidemment pas la même génération. Celles du début ont perdu leurs frères au cours de la guerre Iran-Irak et se sont mariées à des opiomanes qui ne rêvent que de posséder une antenne parabolique et de visionner les chaînes indiennes. Les contrôleuses d'aujourd'hui sont plus souriantes. Nous aussi. Elles ne nous en veulent plus. Les responsables de leurs malheurs sont ailleurs. Nous nous parlons normalement, sans agressivité, et même si elles nous demandent de retirer – à l'aide d'un peu d'acétone et d'un coton qu'elles gardent quelque part dans leurs tiroirs – notre vernis à ongles, elles le font contre leur gré, parce qu'elles sont payées pour le faire, parce que la vie est chère, parce que leurs enfants n'ont pas de chaussures, parce qu'un poulet coûte au moins trois mille *tomans*, parce qu'elles ont oublié le goût de la viande.

Ce laps de temps, ces quelques minutes nécessaires à l'inspection de ma tenue, arrive même à nous rapprocher, à nous rendre étrangement solidaires, elles qui courent après l'argent indispensable à la scolarité de leurs enfants et moi qui suis venue à plusieurs reprises, dans des endroits de ce genre, essayer vainement de récupérer des centaines d'hectares de terre.

Pour le moment, les trois contrôleuses s'occupent d'une femme qui vient de s'évanouir.

— Ils ont décidé de régler les choses et voilà le résultat ! Une femme qui s'évanouit, un vieillard qui meurt, déclare l'une d'entre elles.

Je remarque que maintenant elles aussi disent « ils » en parlant d'« eux ».

— Bois ma chérie, bois une gorgée d'eau, intervient une deuxième, en soutenant la tête de la femme qui me fait signe de dénouer son foulard.

En ai-je le droit ? Je demande l'autorisation aux contrôleuses. Elles me l'accordent.

— Mais oui ! Retire-lui ce foulard qui l'étouffe, qui nous étouffe toutes, ajoute une troisième.

Je ne dis rien. Je suis à l'Organisme général des passeports. Une simple approbation de ma part me vaudrait peut-être une interdiction pure et simple de quitter le territoire iranien. Par prudence, je desserre le foulard de la femme (je ne le retire pas), et je lui souhaite bon rétablissement. Puis j'ouvre mon sac, je le montre à une des contrôleuses, laquelle, sans le regarder, sans regarder mon maquillage ni ma tenue, me permet de franchir l'accès au monde des hommes, ce rideau, qui sent aussi le *shanbelileh*.

Je retrouve Sattâr dans la cour intérieure. Il s'approche de moi et me fait signe, en remontant et en redescendant ses doigts au niveau des yeux, de baisser mon foulard. Je lui obéis.

— Tu ne serais pas un peu neurasthénique, par hasard ? me demande-t-il.

— Je me porte très bien. Rassurez-vous. Il n'y a aucune inquiétude de ce côté-là.

— Il faut quand même que je t'examine un de ces jours. Tu ne souffres pas de maux de dents ?

— Non. Tout va bien.

— Je t'explique : avant-hier, j'étais avec un ami qui avait terriblement mal aux dents. Je l'ai envoyé faire un électrocardiogramme et je lui ai évité un infarctus.

Je pense à tous les gens, autour de moi, qui souffrent de problèmes dentaires et qui devraient peut-être, de toute urgence, aller se faire examiner dans une clinique de cardiologie. Combien de vies pourraient être sauvées…

Nous montons les marches du Bâtiment A jusqu'au deuxième étage où nous nous arrêtons devant un guichet. Vêtus de l'uniforme de la police, coiffés de calots et décorés d'insignes, les lieutenants sont assis de l'autre côté d'une barrière en verre. Du côté des visiteurs, des chaises d'écolier à pupitre sont rangées devant chaque guichet. Mais elles sont alignées de telle manière que les visiteurs sont obligés de tourner en permanence leur visage pour s'adresser aux officiers. Une grosse femme, qui ne réussit pas à introduire toute la masse de sa chair dans la courbure étroite de la chaise, renonce à cette pénible bataille. Les ouvertures des guichets étant placées très bas, elle doit, pour s'adresser au policier, se baisser jusqu'au niveau de ses genoux, offrant à la vue de tous deux grosses fesses charnues – spectacle islamiquement passible de prison.

Plus loin, un homme d'une quarantaine d'années est en train d'injurier l'Iran, sa patrie :

— Je suis revenu au pays, après vingt-cinq ans d'absence ! hurle-t-il. J'ai trois doctorats ! J'ai tout laissé là-bas, ma villa, mes voitures, mon poste de consultant en produits pharmaceutiques pour rentrer et servir mon pays. Et voilà comment « ils » nous accueillent ! Cette fois-ci c'est fini ! Dès que je mettrai les pieds dehors, je ne penserai plus un seul instant à ce foutu pays ! Je le chasserai de ma tête !

Alors qu'il passe devant nous, Sattâr lui lance :

— Tu en as mis du temps à devenir raisonnable.

Les fesses en l'air, une main sur le dos, une autre sur le genou, la grosse femme fait répéter trois fois la même phrase à l'officier.

— Votre photo ne correspond pas à la réalité, déclare le préposé à la grosse femme.

— *Tchi ?* Comment ? Mais je l'ai prise il y a une semaine ! clame-t-elle.

Elle se laisse tomber par terre, tire une photo d'identité en couleur d'un étui en plastique et me la montre.

— Ça me ressemble ou ça ne me ressemble pas ? me demande-t-elle.

La photo, à force d'être retouchée, représente une femme dont le visage aminci, creusé par des ombres, paraît presque osseux. Je ne dis rien et je l'aide à se relever, tout en songeant à ma propre photo – celle d'une femme plus jeune que moi de dix ans.

Sattâr m'indique un guichet. Mon tour est venu. Je m'installe sur la chaise à pupitre et salue l'officier, un colonel, en tournant vers lui mon visage à quarante-cinq degrés. Je redoute le torticolis qui risque de venir me tourmenter si cet entretien s'éternise. Sattâr reste debout. Sa petite taille semble conforme au mobilier de la pièce. Il salue le colonel et lui présente ses condoléances, ce qui ne m'étonne pas. En Iran, on porte toujours le deuil de quelqu'un. Ensuite, il lui expose mon cas. Le colonel, qui arbore une barbe montant jusqu'aux yeux, ne prononce qu'une phrase :

— Allez au poste de Yâft Âbâd et demandez le lieutenant Mokhtârpour.

Sattâr esquisse un salut militaire en guise de réponse.

Cependant, avant que nous ne prenions congé, le colonel, qui semble étouffer dans sa barbe, ajoute à l'intention de Sattâr :

— Askarniâ *djân*, tu en es où avec le cadavre ?

Sattâr s'approche du guichet et murmure quelque chose je n'entends pas.

Ma petite voix et mon raisonnement (qui généralement vont de pair) en concluent que Sattâr doit travailler pour la morgue. Il est vraiment médecin, c'est certain, mais sans doute médecin légiste. En tant que tel, il collabore forcément avec les forces de l'ordre. De là ses relations avec le ministère de l'Intérieur.

Mais quel rapport avec l'Organisme général des passeports ? me demande la petite voix. Depuis quand les morts ont-ils besoin de passeports ?

Je ne lui prête aucune attention. Ma petite voix se laisse facilement éteindre. Ma tension, de nouveau, chute. Comme nous ne sommes que deux cette fois-ci, je peux consommer mon bonbon caramélisé. J'en offre un à Sattâr, qui l'accepte volontiers.

Nous descendons dans la cour et je sors par le vestibule des femmes. Je salue les trois contrôleuses, qui mangent du pain et du fromage, et la femme évanouie, qui semble à présent rétablie. Les contrôleuses me proposent de partager leur nourriture. Par habitude, par *târof*, je dis non. Mais je ralentis mon pas et je leur avoue que je prendrais bien une bouchée parce que j'ai des problèmes de tension. Elles me proposent aussitôt une chaise. Une d'entre elles me sert un verre de thé, l'autre me tend du pain et du fromage.

Je suis assise au milieu d'elles. Une visiteuse, qui entre à ce moment-là dans le vestibule, me montre son sac. J'y jette un coup d'œil et je la laisse passer.

Inquiet de ne pas me voir, Sattâr m'appelle de l'extérieur. Je vide rapidement ma tasse de thé et remercie les contrôleuses avant de sortir.

— À nous Yâft Âbâd, me dit le docteur quand je l'ai rejoint.

Tout ce que je sais du quartier Yâft Âbâd, c'est qu'il est situé à l'extrême sud de Téhéran. À l'époque du Shah, il abritait les baraques, pour ne pas dire les taudis, des plus pauvres des pauvres. S'y rendre aujourd'hui, avec les problèmes de circulation, relève de l'expédition. Lorsque Sattâr me propose de m'emmener sur sa moto, je lui réponds que mon *âjâns* m'attend et que le chauffeur me conduira lui-même jusqu'à Yâft Âbâd.

Estimant que je gaspille mon argent en gardant la voiture, Sattâr se lance dans des calculs interminables pour me prouver qu'il est plus avantageux de prendre trois taxis que de rester toute la journée avec le même. Je le laisse dire. À chacun ses comptes. Nous nous dirigeons côte à côte vers sa moto. Il enlève le casque du coffre et y range son attaché-case. Puis, le casque sous le bras, il monte sur la moto. Je lui conseille de prendre le temps de mettre son casque.

— Mais non ! répond-il. Je ne le mets pas, je ne le porte qu'au bras.

— Pourquoi ?

— Parce que, si je me fais arrêter le casque sous le bras, ce n'est pas comme si je ne l'avais pas du tout. C'est négociable, surtout avec mes relations…

— Mais pourquoi vous ne le mettez pas ?

— *Aziz-e delam*, toi précieuse à mon cœur, quand la mort est venue te chercher, personne ne peut l'arrêter et surtout pas un casque fabriqué en Corée.

— Mais vous pouvez vous blesser, vous casser une jambe, un bras…

Sattâr me montre son front et déclare :

— Ça dépend de ce que le destin a écrit là. Si tu dois te faire amputer d'une jambe, ici ou ailleurs, il prendra son dû.

Il démarre, le casque sous le bras. Il avance lentement jusqu'à mon *âjâns* et communique au chauffeur l'adresse du Bureau des passeports à Yâft Âbâd en lui recommandant de le suivre.

Nous nous mettons en route. Je vois, de biais, le chauffeur qui mordille nerveusement sa moustache et secoue par intermittence son épaule droite. Il y a quelque chose qui le tracasse.

Au bout de deux ou trois minutes, il n'y tient plus.

— Je suis moi-même un enfant de Yâft Âbâd, dit-il. Vous savez, c'est avilissant pour moi d'y aller en suivant ce type en moto.

— Mais non. Le docteur Askarniâ (j'insiste sur « docteur ») ne voulait aucunement vous froisser. Il ne savait pas que vous habitez Yâft Âbâd. Comment aurait-il pu le savoir ? C'était juste pour me rendre service, pour qu'on puisse éviter les embouteillages.

Le chauffeur continue de mâchouiller sa moustache.

— Si j'accepte de me faire guider, reprend-il, c'est uniquement pour vous.

Je le remercie pour son abnégation. Nous nous enfonçons dans un océan de voitures. Certaines d'entre elles ressemblent à des modèles de Mad Max. Durant leur existence, elles changent plusieurs fois de taille, de hauteur et de forme. Il y a aussi, et surtout, la voiture nationale, la Peykân, à propos de laquelle on ne peut, où que l'on soit, éviter d'entendre comparer les prix « d'avant » et les prix « d'aujourd'hui » : « Avant, sous le Shah, une Peykân coûtait trente mille *tomans*, maintenant elle vaut six millions et demi de *tomans*. » Les taxes sur les véhicules neufs étant très élevées – quatre-vingt-dix pour cent –, les gens changent de voiture en achetant des modèles d'occasion. Aussi l'Iran est-il, à ma connaissance, le seul pays où une voiture d'occasion, après une dizaine d'années d'utilisation et une centaine de milliers de kilomètres, se vend plus cher que son prix d'achat. J'ai même assisté à la vente d'une carcasse de voiture, précipitée dans un ravin à la suite d'un accident, pour un montant qui dépassait largement le prix initial.

Narguess, qui est plus au courant que moi de toutes ces choses, ne cesse de presser d'investir dans l'automobile.

— Tu achètes une Peugeot, montée en Iran. Tu la laisses dans le parking de ton immeuble pendant un an, puis tu la vends trente pour cent plus cher. Ce n'est pas un bon investissement, ça ? me répète-t-elle, au moins une fois par semaine.

Je suis heureuse que les *traders* du Wall Street (toujours Wall Street !) n'entendent pas Narguess. Autrement, ils se rueraient tous vers l'Iran et achèteraient des Peugeot « iraniennes » qu'ils laisseraient dans le parking de mon immeuble pour les revendre au bout d'un an.

À Téhéran, depuis peu, il y a aussi des Mercedes (que les Iraniens appellent des Benz), des Ferrari et des Porsche que les propriétaires achètent avec, je le rappelle, des taxes de quatre-vingt-dix pour cent. Aussi, quand on voit passer ces trésors ambulants, impossible, où que l'on soit, de ne pas entendre la litanie : « Regardez ces fils d'ayatollahs dans des Porsche, voyez comment ils se sont enrichis. »

À bien y regarder, ils n'ont rien de « fils d'ayatollahs ». Ils ressemblent à la jeunesse dorée de tous les autres pays, ils sont accompagnés de jolies filles, dont quelques mèches blondes dépassent de leurs foulards, et écoutent les derniers tubes du moment, parfois même de la musique décadente d'Occident, qui est interdite. Pourtant, et chacun peut vous l'assurer, ce sont vraiment des fils ou petits-fils d'ayatollahs, sujets de graves tourments pour leurs très honorables grands-pères. Le bruit court en ville que la petite-fille d'un haut responsable enturbanné s'est fait arrêter plusieurs fois par les gardiens de Révolution, pour non-respect de la tenue islamique.

Nous prenons, l'une après l'autre, plusieurs des autoroutes qui longent Téhéran. Celles-ci portent le nom des généraux de la guerre Iran-Irak, inconnus de tous sauf de l'état-major de l'armée, ce qui attise une discorde permanente entre les partisans du Shah, les défenseurs de la République islamique et les sceptiques. Les premiers affirment que le projet de ces autoroutes s'est élaboré sous le régime impérial, les autres prétendent que ce sont les mollahs au pouvoir qui les ont réalisées et les derniers constatent que, œuvres du Shah ou des mollahs, ces autoroutes, de toute manière, ne changent rien aux immenses bouchons qui paralysent Téhéran. Chaque jour, aux heures de pointe, la ville se transforme en un parking géant.

Après une heure et demie d'inhalation d'une quantité non négligeable de gaz carbonique, nous arrivons à Yâft Âbâd. Je m'attendais à voir des taudis, des baraques en tôle, des cases croulantes, des boîtes de carton en guise d'habitations. Je découvre, étonnée, un secteur plus agréable que le nord de Téhéran, doté de boulevards arborés, d'espaces verts et même de centres culturels. Narguess et d'autres m'avaient bien dit que le sud de la ville était devenu très plaisant, mais je ne les croyais pas. Cette transformation est due au fait que le pouvoir, grâce à un budget exceptionnel, a mis une énergie inhabituelle à améliorer les conditions de vie dans ces faubourgs. Ils avaient fourni pendant la guerre contre l'Irak le plus gros contingent de martyrs.

Par moments, discrètement, je laisse traîner mon regard vers mon chauffeur, et il me semble que sa moustache, à force d'être mâchouillée, s'est sensiblement raccourcie. Il a accepté, malgré lui, de suivre le petit motocycliste, et il ne le supporte pas.

Soudain il freine et immobilise ses mains sur le volant.

— *Khânoum*, moi je m'arrête là, me dit-il. Ça fait deux fois qu'il fait le tour de la même place et que je le suis. On me connaît ici, vous comprenez, c'est humiliant pour moi de tourner deux fois autour de cette place, là, dans mon propre quartier.

Je vois que son index est dépourvu de la dernière phalange. Il secoue son épaule et attend ma réponse.

Il m'a appelée *khânoum*, c'est-à-dire « madame ». Pour avoir dit ce simple mot, il mérite de passer devant toutes les voitures, non seulement dans son propre quartier mais dans tout l'Iran et même à Paris. Depuis la Révolution, en effet, l'usage islamique a imposé aux hommes d'appeler les jeunes femmes « sœur » et les moins jeunes « mères », ou « *hâdj khânoum* », titre honorifique pour désigner une personne, de sexe féminin, qui a effectué le pèlerinage à La Mecque.

De ce fait, ma mère et toutes les femmes de sa génération, du jour au lendemain, furent abordées dans les administrations, dans les commerces, dans les restaurants par le terme *mâdar*, qui signifie « mère ». J'entendis une fois ma mère répondre à un garçon qui lui avait tendu le menu en l'appelant *mâdar* : « Mais je n'ai jamais couché avec votre père ! Comment serais-je votre mère ? » Le garçon avait jeté un regard surpris à cette femme qui n'avait pas couché avec son père et qu'il devait néanmoins appeler « *mâdar* », avant de repartir vers les cuisines sans un mot.

Ma mère, toujours elle, refusait aussi qu'on l'appelât « *hâdj khânoum* ». Très au fait de l'histoire et du vocabulaire de l'islam, elle répondait, par exemple, à un pâtissier qui l'appelait *hâdj khânoum*, par quelques phrases en arabe, signifiant qu'il est interdit d'abuser de ce titre pour nommer quelqu'un qui n'a jamais vu la Kaaba, ce qui était son cas. Elle coupait ainsi tout net l'élan du pâtissier qui lui tendait des choux à la crème.

Narguess, qui a quelques années de plus que moi, redoute le moment où de *khâhar*, « sœur », elle passera à *mâdar* « mère ». Je partage la même crainte, ainsi que toutes les femmes de mon âge.

J'appelle Sattâr sur son portable. Il s'arrête et m'explique qu'il cherche une station d'essence, ce qui explique ses tours et détours. Je demande au chauffeur de nous indiquer une pompe. Il hausse de nouveau son épaule, mais cette fois il fait rouler sa moustache entre ses doigts et déclare fièrement en affichant une dent en or :

— Dites-lui, madame, de me suivre.

Nous faisons une troisième fois le tour de la place. Le chauffeur baisse la vitre et interpelle un passant :

— Le petit mec avec sa moto, lui là-bas, il croyait qu'il pouvait me narguer dans mon propre quartier. Si madame n'était pas là…

Je me dis que le chauffeur doit faire partie des *loutis*, de ce milieu interlope qui s'était doté d'un code d'honneur, d'un langage particulier et de pratiques distinctives. À l'époque du Shah, on les appelait les *kolâh makhmalis*, les « chapeaux de velours ». Ils portaient des costumes noirs sur des chemises blanches ouvertes ainsi que ces fameux chapeaux, les *kolâh makhmalis*. Le cinéma populaire d'avant la Révolution, à l'instar du cinéma américain avec la mafia italienne, en avait fait ses héros de prédilection. Dans la vie, tout comme dans les films, ces hommes avaient bien sûr leur propre famille. Ce qui les singularisait, et leur donnait un charme irrésistible, c'était l'amour fatal qu'ils vouaient immanquablement à quelque belle prostituée. Ils sortaient ces dames dans les cabarets de l'époque, alors que leurs épouses restaient cloîtrées dans la maison, ils se battaient bravement pour elles et portaient toute leur vie les cicatrices des coups reçus pour défendre l'honneur de ces femmes perdues.

J'ai toujours affectionné leur vocabulaire. Il suffit qu'un homme me parle comme eux, avec le même regard, les mêmes intonations, et je craque. La Révolution a balayé les cabarets, les beuveries, les bagarres déclenchées pour un grain de beauté au-dessus de la lèvre d'une fille de joie, mais aussi, je ne sais pourquoi, les *kolâh makhmalis* eux-mêmes, qui étaient pourtant des musulmans pratiquants. Certes, ils buvaient de l'alcool, ils dansaient voluptueusement, mais ils doublaient leurs prières pour obtenir l'absolution et jeûnaient, durant tout le ramadan, sans toucher, même pendant les heures autorisées, à une goutte de cette boisson dangereuse qu'ils désignaient par les mots *aragh sagui*, « l'arak de chien ».

Comme je m'intéressais à eux et à leur soudaine disparition, un ami peintre, ancien gardien de la Révolution, m'apprit que c'était la guerre qui les avait lourdement décimés. En hommes d'honneur, ils se portèrent tous volontaires pour se battre sur le front et rares furent ceux qui en revinrent. Leurs successeurs, issus eux aussi de la population déshéritée, trouvèrent l'équivalent de la solidarité qui les unissait jadis dans le rang des actuels *pâsdârâns*, les gardiens de la Révolution – à cette différence près que ces derniers symbolisaient dorénavant la loi islamique et avaient à jamais perdu toute notion de fantaisie. Dans son atelier, mon ami avait accroché plusieurs de ces chapeaux de velours, vestiges d'une époque qui paraissait déjà lointaine.

Il était lui-même à l'image de cette caste disparue, de ces bandits d'honneur bizarrement métamorphosés en purs gardiens de la Révolution. J'avais l'impression, en le regardant, que mon ami cherchait à préserver les traces des frasques d'antan dans une palette de peintre.

Nous attendons Sattâr à la sortie de la station d'essence. À peine ce dernier a-t-il fini de régler que le chauffeur au doigt coupé (bagarre au couteau, blessure de guerre ?) me déclare :

— Maintenant, c'est lui qui me suit.

Cela n'est pas négociable. Je le sais. Je passe ma tête par la portière et je crie à Sattâr :

— Monsieur le docteur, je vous prie de nous suivre ! Monsieur le chauffeur habite Yâft Âbâd et connaît parfaitement bien l'emplacement du Bureau des passeports !

— Mais pourquoi tu ne l'as pas dit dès le début ? Je t'aurais suivi les yeux fermés ! rétorque Sattâr.

Le chauffeur fait de nouveau rouler sa moustache entre ses doigts et lève son épaule.

— Vous disposez de moi, répond-il. Je suis votre serviteur. C'est moi qui dois vous suivre.

Je me sens légère et satisfaite. Une altercation a été évitée et j'ai sauvé la fierté d'un homme.

Soudain, la voiture s'arrête au beau milieu du boulevard.

— Descendez madame, me dit le chauffeur, sans se retourner, je ne peux plus avancer d'un mètre. Je fais demi-tour et je vous attends dans une des rues, là derrière.

Je me hausse sur le siège, je regarde. Un immense tissu noir semble recouvrir toute la rue – un tissu percé par endroits, qui laisse apercevoir des bras, des visages. Il s'agit de centaines de femmes, toutes en tchador noir, assises en silence à même le sol, dans la rue. Je pense aussitôt à quelque manifestation organisée contre Bush ou contre Israël.

Sattâr frappe à la vitre et me demande de descendre.

— Où va-t-on ?

— Comme elles, au Bureau des passeports de Yâft Âbâd, me répond-il.

— Elles attendent pour un passeport ?

— Naturellement.

Jusqu'à présent, mon seul motif de satisfaction reposait sur le fait que les habitants de Yâft Âbâd, pauvres et besogneux, n'étaient certainement pas demandeurs de passeport. Je me disais donc que nous n'aurions pas à faire ici, comme partout ailleurs, une queue démesurée.

Sattâr me détrompe vite.

— Ici, c'est pire que dans tous les autres quartiers.

— Pire ? Pourquoi ?

— Parce qu'ils veulent tous aller à Karbala.

En Irak, Karbala, est la ville sainte du chiisme, celle où repose l'imam Hosseyn, le petit-fils du Prophète. Hosseyn incarne, dans la mythologie chiite, le roi des martyrs, celui qui, pour combattre la tyrannie du calife, n'hésita pas à exposer sa propre vie, celle de sa famille et de ses soixante-douze compagnons aux sabres cruels de l'oppresseur. Ils furent trahis et décimés à Karbala. La tragédie de leur mort est le récit fondateur du chiisme.

Conquis par les Arabes au VIIe siècle, l'empire perse des Sassanides, qui s'étendait de l'Inde à l'Égypte, fut brusquement disloqué. Les Iraniens, qui professaient jusque-là le zoroastrisme, durent se convertir à l'islam. Le califat édifia Bagdad sur les ruines de Ctésiphon, la capitale des Sassanides. Loin d'être anéantie, la civilisation perse s'accoutra de la tenue islamique, enrichit la pensée des conquérants de son passé glorieux et rayonna de tous côtés dans les sciences, la philosophie, l'architecture et la peinture dites islamiques.

Le chiisme, que les sunnites abordent comme une hérésie, repose sur le refus de considérer Aboubakr, le premier calife, comme le successeur du Prophète. Les chiites ont choisi de désigner Ali, le gendre du Prophète, comme son vrai héritier, et ses descendants, les imams, comme les seuls représentants du pouvoir temporel. Hors des mains des imams, le pouvoir est illégitime, abusif, corrompu et injuste. Le combattre, à l'instar de l'ancienne rébellion de Hosseyn contre le calife, est le *leitmotiv* de tout chiite. Le cycle des imams, de ces prétendants au pouvoir légitime, abusivement exercé par les califes, se conclut par le douzième imam, l'imam caché, le Mehdi, lequel, volontairement échappé aux regards, réglera par sa réapparition l'injustice millénaire.

Pour se démarquer des Arabes, les Iraniens ont fait du chiisme leur propre islam et du petit-fils du Prophète, l'imam Hosseyn, leur héros par excellence.

Chaque année, à l'occasion du mois de *moharam*, qui est le mois de sa mort, l'Iran tout entier entre en deuil. Il célèbre cette passion par des cérémonies d'auto-flagellation, des chants funèbres, des pièces de théâtre qui souvent se jouent en plein air (le *tazieh*), des offrandes de nourriture et des processions nocturnes. Je me rappelle que, même du temps du Shah, ma mère nous traînait à Sar Tcheshmeh, dans le « vieux Téhéran », le quartier de son enfance, où une famille encore traditionnelle célébrait la mort de l'imam selon les anciennes coutumes. Le petit jardin de cette maison se remplissait d'une foule endeuillée. Deux énormes marmites régalaient de riz et de *khoresht-e gheymeh* (le meilleur que j'aie jamais mangé) le ventre des pénitents. Un mollah récitait la passion de Hosseyn et les auditeurs (des femmes et des hommes disposés séparément) pleuraient, qui en se griffant le visage, qui en se frappant la poitrine. Chacun reconnaissait dans le martyre de l'imam la propre injustice de sa vie et, au-delà de tout vécu personnel, la tragique tristesse de la condition humaine.

Plus loin un petit temple, de trois mètres sur deux, le Haft Dokhtaroun, auquel on accédait en descendant quelques marches, d'habitude sombre et désolé, était illuminé ce jour-là par une myriade de bougies, allumées par des mains qui quémandaient la santé d'un fils, le désendettement d'un mari, la libération d'un frère ou tout autre bien de ce monde.

La Révolution islamique usa et abusa de la thématique du martyre pour consolider ses propres fondements et défendre, ensuite, l'Iran contre l'invasion de l'Irak. Sans l'imam Hosseyn et le goût profondément enraciné du martyre, les jeunes Iraniens ne se seraient pas portés volontaires. Sans l'imam Hosseyn, Saddam aurait conquis l'Iran. Or, justement, depuis la chute de Saddam, les Iraniens peuvent enfin se rendre en Irak et visiter le mausolée de Hosseyn, à Karbala. Je me dis quelquefois que, entre le pèlerinage de La Mecque et celui de Karbala, un Iranien préférerait secrètement le second, d'où l'immensité de cette étendue noire qui recouvre aujourd'hui l'asphalte du boulevard des Martyrs, à Yâft Âbâd.

Pour entrer dans le Bureau des passeports, il faut soit piétiner les femmes en tchador noir, soit effectuer des sauts de ballerine pour les éviter. Je choisis de les piétiner en présentant à chaque pas mes excuses. Certaines se lèvent pour me barrer le passage. Elles protestent : elles sont là depuis bientôt vingt-quatre heures. Mais Sattâr, qui a réussi à atteindre le policier posté à l'entrée du bâtiment, et à échanger quelques phrases avec lui, me désigne du doigt et exige qu'on me laisse passer. Le policier l'y autorise, semble-t-il. Les femmes se rassoient. Nous entrons dans l'immeuble.

À l'intérieur, la résistance se fait plus sérieuse. Des hommes et des femmes serpentent dans l'escalier qui mène au deuxième étage, où se trouvent les guichets. Malgré sa petite taille, Sattâr ne réussit pas à se faufiler. Il crie, à l'intention d'un policier qui bloque l'accès du premier au deuxième étage :

— Je dois voir personnellement le lieutenant Mokhtârpour ! Le lieutenant Mokhtârpour !

Le policier ne l'entend pas. Sattâr parvient cependant, peu à peu, en répétant juste le nom de ce responsable, à progresser et s'approcher du policier. Je reste clouée sur la place. Je vois, d'en bas, Sattâr se débattre avec le policier. Celui-ci est plus difficile à convaincre que le premier. Confronté à l'insistance de Sattâr et à la bousculade des visiteurs, il finit par céder et le laisse passer. Sattâr me fait signe de monter. Vite ! Mais comment ? Ici, même des sauts de ballerine seraient inefficaces. Pour accéder au premier étage, il me faudrait accomplir un saut périlleux. Ou même traverser les airs, comme dans un film chinois. Pour tenter de m'extraire des profondeurs, Sattâr me tend la main. Je pousse des gens, toujours en m'excusant, je désigne Sattâr et je monte lentement, péniblement, le long des escaliers. J'arrive enfin au premier étage.

— On dirait que tu n'as pas de mains ni de pieds ! Tu es d'une faiblesse ! Crois-moi, il te faut faire une analyse de sang. Ça fait une demi-heure que je te fais signe de monter ! Avec cette timidité tu n'iras pas loin.

Je sens en effet ma tension chuter de nouveau. Mais je sais que je n'ai plus de bonbons. Je ne réponds pas. Sattâr pénètre dans le hall du premier étage, se dirige vers le bureau du secrétaire en uniforme du lieutenant Mokhtârpour et demande à le voir.

Sans même lever les yeux, le secrétaire répond :

— Ici, tout le monde veut voir le lieutenant Mokhtârpour, répond le secrétaire, sans même lever les yeux. Descendez au rez-de-chaussée et attendez votre tour.

Je m'apprête docilement à descendre. Sattâr, qui ne peut saisir ma main (tout contact charnel étant prohibé), me hurle :

— Mais où vas-tu ? Ne bouge pas d'ici ! Ah, ces neurasthéniques ! Ne bouge pas !

Il contourne l'inspecteur, lui chuchote quelques mots à l'oreille, puis il inscrit, très visiblement, son nom sur une des pages de l'agenda qui se trouve sur le bureau, arrache la page, la lui tend.

— Que je meure ! Apporte ça au lieutenant ! Vite ! clame-t-il.

Le secrétaire quitte sa table, au-dessous de laquelle se trouve une paire de pantoufles pour enfant en matière plastique, se lève, se dirige lentement vers le bureau du lieutenant et revient quelques minutes plus tard en nous disant d'attendre sur place. La porte du bureau s'ouvre, se ferme. Des gens entrent et sortent.

Chaque fois, Sattâr veut y pénétrer. En vain. Finalement, sans que nous sachions pourquoi, le secrétaire nous permet subitement de franchir le seuil tant espéré.

Avant d'entrer, Sattâr me fait signe d'abaisser mon foulard rebelle. Je lui obéis. Il ouvre la porte et aussitôt il exécute, son attaché-case à la main, le salut militaire. Je me surprends à lever moi-même le bras, par réflexe, et à resserrer les talons, mais je me ressaisis à temps et j'attends la litanie secrète de Sattâr, chuchotée, chaque fois, à l'oreille d'un responsable. Nous allons d'un chuchotement à un cri.

L'inspecteur Mokhtârpour nous propose de nous asseoir. Mais son bureau n'est doté que de trois chaises qui sont déjà occupées par une vieille femme en tchador, un jeune homme rasé et une femme en foulard rouge. Le jeune homme se lève et me tend sa chaise, je la propose à Sattâr. Celui-ci me demande de m'asseoir et précise au lieutenant :

— Elle souffre de chutes de tension.

Tout aussitôt le lieutenant tire de son tiroir une boîte de nougats d'Ispahan, à la pistache. Ceux-ci sont souvent recommandés pour les baisses de tension. J'en prends un puis, comme il insiste, un deuxième. Les trois autres visiteurs sont également régalés (même s'ils sont hypertendus).

La vieille femme en tchador, qui bouge sans cesse, se lance alors dans un éloge sans fin des mérites du lieutenant :

— S'il n'était pas là, m'explique-t-elle, je serais encore sur la liste de ceux qui sont interdits de sortie.

Les *mamnou ol-khorouj*, les « interdits de sortie »,
sont en général les responsables de l'ancien régime ou
des opposants à la République islamique. Tout en
mâchant mon nougat, je me demande comment une
vieille femme *tchâdori* pourrait se voir interdire le droit
de quitter l'Iran.

— Mon fils ! s'écrie-t-elle en s'adressant au lieutenant, les mains tendues vers lui. *Que Dieu double ta
vie ! Que Dieu fasse vieillir tes enfants !* Tu m'as sauvée.
Sans toi, qui aurait pu avoir un passeport pour la
Suède ? Qui aurait pu voir son fils ?

Je songe que si M. Eskandari, notre gardien, était
là, il aurait certainement tiré son papier froissé de sa
poche, et communiqué à la vieille dame le dernier
numéro de téléphone de son fils, disparu en Suède.

Pourquoi la Suède est-elle tant convoitée ? Parce
qu'elle représente le pays d'élection des Iraniens immi-
grants. À peine arrivés, les touristes qui refusent de
quitter le pays quand leur visa est périmé sont logés
dans des maisons préfabriquées avec vue sur la mer, ou
au moins sur un lac. Le gouvernement suédois met
également à leur disposition une carte téléphonique
gratuite pour appeler leur pays aussi souvent qu'ils le
désirent. Une carte spéciale leur ouvre les portes des
magasins Ikéa pour qu'ils décorent à leur convenance
leurs maisons temporaires et un psychanalyste les
reçoit régulièrement, à titre gracieux, pour éviter que la
nostalgie du passé ne gâche leur séjour en Scandinavie.
Une vieille Iranienne d'origine modeste,
conseillée par des amies avisées, répondit un jour au
psychanalyste que ce qui lui manquait le plus en

Suède, c'était sa voiture et son chauffeur. Dès le lende-main, une Saab conduite par Karl, un chauffeur blond aux yeux bleus, se tenait à sa disposition, aux frais du gouvernement, deux heures par jour.

En attendant la régularisation de leurs papiers, les « clandestins » sont rémunérés par le ministère de l'Éducation afin qu'ils apprennent le suédois. Pour échapper à cette corvée, la vieille femme, toujours bien conseillée par ses amies, a dû feindre la maladie d'Alz-heimer. Elle se rappelait facilement le passé, ses balades en voiture le long de la côte caspienne. Mais le pré-sent, Karl le chauffeur, la Saab et le trajet quotidien de Svea Vägen au Gamla Stan ne lui disaient strictement rien. Les psychanalystes en conclurent qu'elle pouvait exceptionnellement être dispensée des cours de langue suédoise.

Quand leurs papiers sont régularisés, les immi-grants continuent à être rémunérés pour apprendre un métier, ou perfectionner celui qu'ils exerçaient dans leur pays d'origine. Pour la vieille dame, l'organisme chargé de prendre le relais du ministère de l'Éduca-tion, le *Social*, décréta que, étant donné l'état mental de la personne, ces appointements pourraient être versés sans aucun apprentissage, sans aucun perfection-nement. Elle continua donc à recevoir ses indemnités. Mais comme elle avait travaillé toute sa vie, elle commença à nourrir, à titre non gracieux, son chauf-feur, puis les amis de son chauffeur, puis les amis des amis. Assaillie par les beaux, les sublimes spécimens du syndicat des transporteurs, qui voyaient en elle une providence, elle dut, à son vif regret, renoncer à ce revenu lucratif et monter, aidée par Karl, un fast-food iranien en plein centre ville. Il paraît que, à l'heure du déjeuner, la file des habitués fait le tour de l'immeuble. Le roi de Suède lui-même n'a pas résisté au charme de son *koukou sabzi*, l'omelette aux herbes. Conseillée par les mêmes amies très avisées, elle a fait inscrire en suédois sur la porte du restaurant : UN FAST-FOOD TRÈS LONG À FAIRE.

Je regarde la vieille femme, assise à côté de moi, et je l'imagine établie en Suède, associée à la propriétaire du fast-food. Soudain, sans prévenir, elle ouvre son tchador et pose sur le bureau du lieutenant Mokhtârpour une poule vivante. La poule, qui a les pattes, les ailes et le bec attachés, roule sur les documents officiels en se débattant comme elle peut, en caquetant de frayeur (mais en sourdine, son bec est attaché), en perdant des plumes. Lorsque la poule tombe par terre, le lieutenant recule de deux pas.

— Qu'est-ce que c'est que ces manières ?

Il a l'accent des gens du Nord, de Rasht. J'aimerais lui confier que je suis du Mâzandarân, de la province voisine, pour tenter d'établir une solidarité régionale. Mais le moment est mal choisi. Loin de refuser le présent de la vieille femme, le lieutenant appelle son secrétaire et lui ordonne de déposer la poule dans le garage du personnel. Je l'imagine rentrant à la maison, après son service, une poule vivante sous le bras. Il est du Nord, il aime les produits frais, il ne peut résister au goût d'une vraie poule élevée en plein air. J'ai secrètement envie de lui dire qu'il a raison, que la saveur de cette poule n'a sans doute rien de comparable avec celle d'un volatile cellophané.

Mais je me tais, là encore. Peut-être verrait-il dans cet échange une tentative de corruption. Prudence.

La vieille fait ses adieux à tout le monde, priant pour que les affaires de tous se règlent aussi favorablement que la sienne.

— *Elâhi âmin*, amen, répond Sattâr.

Il s'assied sur la chaise de la vieille et me chuchote à l'oreille, en désignant la femme au foulard rouge :

— Celle-là, c'est une maquerelle. Elle envoie des filles à Dubaï.

La femme en question a une mèche de cheveux blonds qui dépasse de son foulard, des orteils vernis qui pointent hors de ses sandales, et où sont dessinés deux profils, d'un homme et d'une femme. Des lèvres siliconées et un front botoxé complètent l'ensemble.

Dès son instauration, la République islamique a rasé le quartier de la prostitution, le Shahr-e now, jadis situé dans le sud de Téhéran et voué à satisfaire les mâles de la « troisième classe ». Récemment, j'ai vu une série de photos de cet enclos, datant des années 70. Sur un de ces clichés, en noir et blanc, une femme ventrue, un tchador noué autour de la taille, est lourdement assise sur une chaise bancale. Près d'elle, un chat rase un mur décrépit. Une brouette remplie de terre est posée au milieu de la pièce. Les autres photos soulignent également la misère et l'indigence de cette vie.

À cette même époque, les mâles de la « première classe » assouvissaient leur désir avec les ravissantes blondes envoyées de Paris par Madame Claude. Quant aux mâles de la « deuxième classe », je ne sais pas comment ils faisaient.

Après la destruction vertueuse de Shahr-e now et l'arrêt des charters parisiens bondés de blondes, les mâles de la première et de la troisième classe durent, secrètement je pense, imiter ceux de la deuxième classe, dont les débauches me sont inconnues. Un jour pourtant, dans les années 90, commencèrent à apparaître sur les trottoirs des avenues chics de Téhéran (capitale de la République islamique), des filles aux yeux en amande, aux sourcils arqués et aux lèvres en bouton de rose. Impossible de faire la différence entre elles et les autres filles qui attendent un taxi, à part le fait que, lorsqu'elles se baissent pour « donner l'adresse », c'est en réalité leur tarif qu'elles donnent. Comme partout, cela varie selon le temps et la performance demandée. On m'a dit qu'un week-end dans le Nord peut se négocier jusqu'à mille dollars.

Ça fait combien en euros ?

Je me le demande mentalement. Je ne peux pas faire autrement. Mais je ne me donne pas le temps de calculer.

Ces filles viennent tout aussi bien de la troisième classe que de la deuxième ou de la première. Certaines souhaitent s'inscrire à l'université mais n'ont pas le moindre sou pour en payer les frais. D'autres ne rêvent que de posséder leur propre voiture, une Pride – montée en Iran et achetée deux fois plus cher que la valeur initiale –, pour éviter à leur mère d'attendre le bus dès 5 heures du matin pour se rendre au bureau. Pour d'autres encore, l'envie persistante de se rendre en Europe vaut tous les sacrifices.

Je ne sais pas à quelle catégorie appartiennent les filles de la femme au foulard rouge et, bien entendu, je

n'ose pas demander si elle est venue requérir un passeport pour chacune d'elles. À chacune ses soucis.

Elle s'accoude au bureau, fixe le lieutenant dans
les yeux (attitude clairement prohibée) et s'exprime en
prolongeant les mots comme une jupe à traîne :

— Mon lieutenaaaannt, j'ai fait vœuuu
d'allumer cent cieeerges si aujourd'huuui vous
m'annonceeeez que mon problème est résoluuuu.

Il téléphone, consulte un dossier posé sur son
bureau, sur lequel voltigent encore quelques plumes de
la poule, et soupire. Les cent cierges ne seront pas
allumées aujourd'hui. Une autre fois. Il faudra voir. La
jeune femme retire son coude de la table.

— Et demaiiiin ? Je pourrai revenir demaiiin ?

— Appelez avant de venir. Voici le numéro du
bureau.

— Je vous remerciiiie du fond du cœuuuur.

J'imagine le lieutenant, la poule vivante sous les
bras, montant un soir dans la Pride de la femme au
foulard rouge. J'imagine la femme allumant cent
cierges le lendemain. Et ainsi de suite.

Elle s'en va. Ne restent que le jeune homme rasé
(il n'a pas tenu à porter la barbe même si cela devait
faciliter les démarches).

— À nous, maintenant. As-tu ton certificat de
fin de service militaire ? s'enquiert le lieutenant.

L'Organisme du service militaire en Iran est une
institution à part. Elle n'est pas corrompue. Elle ne l'a
jamais été. Du temps du Shah, comme aujourd'hui, il
était rare qu'un garçon, en âge de servir, pût échapper
à son service militaire. Je me rappelle que, sous le
régime impérial, des hommes célibataires – pour se

marier il leur fallait montrer le certificat de fin de service militaire – préféraient vieillir loin de leur famille, en Suisse ou ailleurs, et ne retournaient pas en Iran de peur d'être forcés d'effectuer ce service, qui constituait vraiment une obligation.

La guerre contre l'Irak n'a fait qu'aggraver la situation. Les jeunes étaient tous envoyés sur le front. Aussi, pour les protéger, les parents liquidèrent-ils tous leurs biens : maisons, voitures, tapis et bijoux. Ils envoyèrent souvent leurs fils à l'étranger, clandestinement, par les montagnes de Turquie ou les plaines du Pakistan. Aujourd'hui, pour les jeunes de la première classe, autrement dit les riches, les maîtres de la République islamique ont même tarifé l'autorisation d'entrée et de sortie, forts du fait que, sans le certificat de fin de service militaire, aucun jeune ne peut quitter le territoire iranien. Il suffit au riche récalcitrant de payer cinq mille dollars à l'Organisme du service militaire pour se voir ouvrir, comme par magie, les portes de l'aéroport de Mehr Âbâd et de l'imam Khomeyni.

— Montre-le-moi ! ordonne le lieutenant.

— Je ne l'ai pas sur moi, répond le jeune homme imberbe.

— Alors va-t'en d'ici et reviens quand tes documents seront complets.

« Il se croit dans la « ville de n'importe quoi », ajoute le lieutenant en regardant Sattâr.

Puis il reprend à l'intention du jeune homme :

— Allez, va-t'en ! Je ne peux rien pour toi.

Le jeune homme prend congé du bout des lèvres et quitte lentement le bureau.

— À nous, *doctor djân*. Que puis-je faire pour toi ?

— Je viens de quitter le colonel Âzardel à l'Organisme général des passeports. Il vous envoie ses chaleureuses salutations.

— Il est notre maître à tous.

On frappe à la porte. Le lieutenant, un peu agacé, ordonne d'entrer. Le même jeune homme apparaît sur le seuil et demande :

— Et si je ne trouve pas mon certificat de fin de service militaire ?

— Tu as fais ton service, oui ou non ? lui demande le lieutenant en élevant la voix.

— Bien sûr que oui.

— Alors, apporte-moi le document.

Le jeune homme referme la porte. Sattâr reprend :

— Vous devriez peut-être téléphoner au colonel Âzardel, poursuit Sattâr, et lui présenter vos condoléances. Vous savez, pour son cousin…

— *Doctor djân*, j'allais justement te demander son numéro de portable. Mais cet obstiné, qui n'a pas fait son service, ne me lâche pas.

Sattâr lui communique aussitôt le portable du colonel. La porte s'ouvre de nouveau et le jeune homme rasé réapparaît, sans qu'on lui ait dit d'entrer.

— Où est-ce qu'on peut se procurer le duplicata du certificat de fin de service militaire ? demande-t-il avec aplomb.

— Chez ta tante ! crie le lieutenant. Ferme la porte et que je ne te revoie plus !

Le jeune homme disparaît sans un mot de plus. Sattâr explique au lieutenant Mokhtârpour qu'un voyage scientifique en France m'empêche d'attendre un mois pour le renouvellement de mon passeport, qu'il s'agit d'une conférence très importante... que ceci... que cela...

— Montez vite au deuxième étage, l'interrompt le lieutenant. Il est bientôt deux heures et nous fermons nos guichets.

— Mon lieutenant, est-ce que vous pourriez pousser la bonté jusqu'à nous faire accompagner par votre secrétaire ?

— *Doctor djân, que ma face se noircisse !* Je ne peux pas faire ça. Vois-tu, ces gens qui font la queue, du premier au deuxième étage, attendent depuis avant-hier.

— Je n'insiste pas. Mais dans ce cas, auriez-vous deux ou trois autres nougats pour elle ? demande Sattâr.

Le lieutenant me tend la boîte. Puis, dans un accès de gentillesse, il convoque tout de même son secrétaire et lui donne l'ordre de nous faciliter l'accès au deuxième étage.

— Après ça, ils feront eux-mêmes la queue devant les guichets, ajoute-t-il.

Mes baisses de tension et l'habileté de Sattâr viennent de nous faire gagner une heure et peut-être même une journée. Nous parvenons en un clin d'œil devant les guichets du deuxième étage, où nous devons enfin respecter la queue, comme tout le monde. Devant nous attendent trois personnes. Nous nous asseyons sur des bancs et, pour la première fois de la journée, j'ai enfin l'occasion de parler avec Sattâr, le docteur Askarniâ. Nous engageons la conversation, mais depuis quelque temps, son portable n'arrête pas de sonner.

— Oui, je m'en fous, ce n'est pas ma faute, dit-il à son interlocuteur, il n'avait qu'à bien réviser ses cours. (Puis il continue, à mon intention :) Vous connaissez *âghâ* Morâd depuis longtemps ?

Âghâ Morâd n'est autre que le photographe de l'atelier Ecbâtâne, celui qui m'a mise en relation avec le médecin qui ressemble à Sattâr. Je ne sais que répondre. Avouer la vérité pourrait, à deux mètres du dépôt du passeport, être une erreur fatale.

— *Âghâ* Morâd et son collègue Hassan *âghâ* sont très serviables, dis-je prudemment. Tout le quartier parle de leur bonté.

— Le frère d'*âghâ* Morâd est un de mes collègues, à l'Université de la Police.

Le portable sonne une nouvelle fois.

— Akbari ? Attends que je vérifie, répond Sattâr.

Il ouvre son attaché-case, feuillette rapidement un cahier et annonce, au téléphone :

— Akbari n'a pas eu la moyenne, qu'il revienne au mois de septembre.

Sattâr coupe la communication.

— Normalement, à 14 heures, je donne un cours à l'Université de la Police.

— Ah bon ? Et qu'enseignez-vous ?

— La dissection. Mais l'amour que je porte au frère d'*âghâ* Morâd et à *âghâ* Morâd lui-même m'ont empêché, pour vous dépanner, de me rendre aujourd'hui à mon cours. C'est pour ça que mes étudiants m'appellent, vous comprenez ? Ils veulent savoir leurs notes.

Je le remercie et je m'interroge sur ce que va me coûter ce « dépannage ». Je me demande aussi ce que peuvent être les honoraires d'un médecin légiste qui sèche ses propres cours pour accompagner une simple connaissance du frère d'un ami au Bureau des passeports de Yâft Âbâd.

Le téléphone sonne encore. Le docteur écoute et finit par s'écrier, assez violemment :

— Je lui ai cent fois recommandé de ne pas s'absenter du cours ! Mais il ne m'écoute pas, il ne vient jamais ! Oui, oui, je sais, je sais. Il est le frère d'un martyr, et alors ? Je ne peux tout de même pas ajouter un chiffre devant son zéro ?

Énervé, il se lève, se dirige vers les fenêtres et continue de résister verbalement. J'ai envie de l'encourager à gratifier le frère du martyr d'une bonne note, malgré ses carences. Qui sait ? Cela pourra, peut-être, m'aider à obtenir rapidement ma carte nationale, le *kârt-e melli* ou (pourquoi pas ?) à récupérer mes terres dans le Nord, un jour ou l'autre. Je rêve un peu.

Sattâr revient et se rassied.

— Ils ne me lâchent pas, m'explique-t-il. Revenons à *âghâ* Morâd. Est-ce que tu connais son frère ?

— Non, je ne l'ai jamais rencontré.

— Alors tu as perdu la moitié de ta vie. Il fait partie d'un de ces *khosh typ*, de ces « beaux gosses », comme on n'en fait plus. À l'Université de la Police, on l'appelle Alain Delon. Tu vois qui est Alain Delon ?

Je hoche timidement la tête. Je ne lui dis pas que mon mari a écrit *Borsalino* et *La Piscine*. Cela risquerait de nous entraîner un peu trop loin.

— Il paraît qu'il a divorcé d'avec Brigitte Bardot.

— Vraiment ? Je n'en savais rien.

Je ne dis pas non plus que mon mari a écrit *Viva Maria*, qu'il a connu Bardot, il y a longtemps déjà. Ici les stars vieillissent, apparemment, plus lentement qu'ailleurs. Mais il vaut mieux que je n'en parle pas. Trop de risques de digressions.

— Tu sais, *inshâllâh*, je vais te dire quelque chose, une fois ton passeport en main et que tu seras de l'autre côté, ne reviens plus en Iran. Écoute ton *doctor*. Écoute-moi quand même, bien que je ne sois pas beaucoup plus âgé que toi.

Il saisit mon passeport, l'ouvre et lit ma date de naissance.

— Oui, c'est ce que je pensais. Nous avons cinq ans de différence. Oui, je te disais, une fois là-bas, ne reviens plus et demande ta naturalisation. Moi, tu sais, j'ai la nationalité bulgare.

Je ne lui dis pas que j'ai aussi la nationalité française, et même un passeport français, dont je préfère ne pas me servir ici. Son téléphone sonne. Il ne répond plus.

— J'ai emmené ma femme et mes enfants, poursuit-il, deux filles jolies comme des poupées, dans le *Bulgar*.

Je ne sais pas pourquoi il ne dit pas « en Bulgarie ».

103

— Je leur envoie tout ce que je gagne. Je ne garde rien ici. Rien.

— Vous parlez le bulgare ?

— Moi non. Mais ma femme et mes enfants le parlent couramment, tu penses bien.

C'est notre tour. Nous nous dirigeons vers le guichet. Un homme en uniforme vérifie mes documents. Je redoute qu'il refuse mes photos mais cela ne lui pose pas de problèmes. Il ne m'a même pas regardée. Soudain, il nous restitue tout le dossier en déclarant :

— Revenez demain, il manque les photocopies des pages un à dix.

— Je saute les faire ! répond Sattâr.

— Non, nous fermons, il est trois heures. Je devais normalement partir à deux heures.

— C'est l'affaire d'une minute ! Je descends les faire dans le bureau du lieutenant Mokhtârpour !

— Son appareil est en panne.

— Madame a été recommandée par les responsables du « haut ». *Que je meure !* Donne-moi le temps d'aller faire ces photocopies !

— Alors, cours. Cours, je te dis !

Sattâr saisit mon passeport et me fait signe de le suivre. Nous dévalons les escaliers sinon quatre à quatre, du moins deux à deux.

Le policier du premier étage est en train de faire évacuer les visiteurs. Nous sortons. Sattâr recommande au policier du rez-de-chaussée de l'attendre avant de verrouiller la porte.

— Elle n'oubliera pas le gâteau, chuchote-t-il à son oreille.

Cela signifie qu'il faudra payer le policier. Je hoche la tête, j'acquiesce. Je propose à Sattâr d'aller chercher le chauffeur de l'*âjâns*.

— Il est du quartier. Il fera ça rapidement.

Sattâr refuse et réplique, non sans fierté :

— Je ne confierai ce passeport à personne.

Il piétine une fois de plus les quelques dizaines de femmes assises par terre qui attendent leur tour pour demain, ou après-demain. Il me confie son attaché-case, oublie de retirer le casque du coffre pour le placer sous son bras, met mon passeport entre ses dents et grimpe sur sa moto.

Il la démarre. Je le regarde s'en aller. Mon passeport passe de chaque côté de ses mâchoires.

Je reste seule à l'entrée du bureau. Le policier m'observe. Il attend son « gâteau ». Combien lui donner ? J'ai envie d'appeler Narguess. Je prends dans mon sac cinq billets de mille *tomans* et je les glisse discrètement dans sa main. Nos mains se touchent, mettant ainsi l'islam en danger. Il range rapidement l'argent dans sa poche et, sans vérifier le montant, me remercie.

— Il va bientôt faire quarante degrés, ajoute-t-il, et je n'ai même pas de quoi acheter un ventilateur pour ma famille.

J'ai honte. J'aurais pu lui donner plus, beaucoup plus. Cinq mille *tomans* seront loin de suffire pour l'achat d'un ventilateur.

— *Inshâllâh*, lui dis-je, le jour où je reviendrai retirer mon passeport, je réparerai tout le dérangement que je vous ai causé.

Ce qui signifie, en bon persan, que pour le ventilateur il devra attendre mon retour.

Le temps passe et toujours pas de Sattâr. Je
patiente. Le policier se fait pressant. Si Sattâr tarde
encore, il va me demander un réfrigérateur, un congé-
lateur, un micro-ondes et Dieu sait quoi. Ma petite
voix, étouffée jusque-là, exprime haut et fort son
inquiétude : on m'a pris mon passeport sans me
donner aucun reçu. Le policier désigne sa montre.

— Monsieur le docteur va arriver d'un instant à
l'autre, lui dis-je. (Puis je récite la leçon apprise au
contact de Sattâr :) Le lieutenant Mokhtârpour lui a
demandé de faire la photocopie d'une lettre que je dois
remettre, personnellement, au colonel Âzardel.

Les noms font leur effet. Le policier hoche la tête,
s'écarte de quelques mètres et repousse deux ou trois
femmes qui essaient d'entrer.

— Revenez demain, ordonne-t-il. Aujourd'hui,
nous ne recevons plus, vous le voyez bien.

Une d'elles me montre et hurle :

— Et celle-là ? Qu'est-ce qu'elle fait là ? Pourquoi tu ne lui demandes pas de s'en aller, à elle aussi ?

— Elle est recommandée par le « haut ».

La femme s'approche comme pour me frapper.
Je recule de quelques pas.

— Nous n'avons pas fait la Révolution pour que
des femmes comme toi passent avant nous ! me crie-
t-elle. Je vais te montrer, moi, que tout ça c'est fini…
fini depuis longtemps !

J'ai envie de pénétrer dans les profondeurs de la
terre. J'ai envie de disparaître. J'ai envie de me pro-

mener tranquillement au Bon Marché, j'ai envie d'acheter une veste Marni, j'ai envie de…

Soudain, je vois arriver Sattâr, le passeport et les photocopies entre ses dents.

Nous les tenons. Le dossier est complet. Sattâr descend de sa moto, s'avance vers moi et, face aux protestations de la femme, me gronde :

— Qu'est-ce que tu as fait encore ?

Je ne dis rien. Il me remet les documents, tire de sa poche sa carte de médecin, la montre à la femme récalcitrante.

— C'est une neurasthénique grave, déclare-t-il avec assurance. Je suis son médecin traitant. Il faut qu'on l'envoie au *khâredj*, à « l'étranger », pour la soigner. Je m'absente deux minutes et voilà qu'elle se fait attaquer par des femmes comme toi.

Malgré les interdictions islamiques, il me prend par la main, à l'instar d'un médecin qui, je pense, est autorisé à faire du bouche à bouche à une mourante, et il me tire de ce lieu périlleux.

Nous remontons au deuxième étage. L'escalier est à présent dégagé. Seules quelques personnes en descendent. Nous nous dirigeons vers le guichet où il faut encore attendre notre tour.

— Si je n'étais pas arrivé à temps, cette mégère t'aurait mangée toute crue.

De peur de la revoir, je ne cesse de me retourner. Soudain, une vieille *tchâdori* entre dans la salle, prononce quelques mots incompréhensibles et s'écroule sur le sol. Aussitôt, Sattâr m'abandonne pour courir s'occuper d'elle. Lorsque mon tour arrive, je remets le dossier à l'officier, en lançant des coups d'œil en direction de Sâttar. J'ai plus que jamais besoin de lui et des paroles qu'il sait chuchoter à l'oreille des forces de l'ordre. À genoux sur le sol, il a ouvert son attaché-case et administre un médicament à la femme.

— Une dernière fois…, gémit celle-ci. Laissez-moi aller une dernière fois à Karbala…

Je n'ai pas le temps de prononcer les noms du colonel Âzardel et du lieutenant Mokhtârpour. L'officier range le dossier sur une pile de documents derrière lui, perce mon passeport avec une perforeuse pour l'annuler, tamponne un papier et tend vers moi le passeport perforé ainsi que le reçu. Après quoi, sans un mot, il se lève, baisse le store du guichet et s'en va.

La journée est finie. Je rejoins Sattâr qui me demande de m'asseoir par terre afin que la tête de la femme puisse reposer sur mes genoux. Elle ne sent pas le *shanbelileh*. Son odeur est celle de la pierre de prière, des bibliothèques closes et des escaliers sombres. J'ai envie de caresser son front mais je me retiens. Lorsqu'elle relève la tête, aperçoit le guichet fermé, elle se met à sangloter :

— Je veux aller à Karbala et puis mourir !

Je ne m'y attendais pas. Je sens des larmes couler sur mon visage. Tant bien que mal, Sattâr parvient à faire asseoir la vieille dame sur une chaise et me demande :

— Alors ? Alors ? C'est pour quand ton passeport ?

Je lui explique que j'ai remis le dossier à l'officier.

— Et puis ?

— Et puis rien.

Sattâr lâche la femme et se tourne vers moi. Il me gronde presque :

— Ne pleure pas sur elle mais plutôt sur ton sort à toi. Elle, elle ira à Karbala, c'est sûr. Mais toi, avec tes mains et tes pieds malhabiles, je ne sais pas, maintenant, quand tu pourras te rendre en France. Je ne peux rien te garantir.

À part la vieille *tchâdori*, Sattâr et moi, il n'y a plus personne dans les bureaux. Nous aidons la vieille à descendre. Elle continue sa litanie de Karbala :

— Je veux juste aller une dernière fois à Karbala. À Karbala. Aller à Karbala et puis mourir…

Je lui propose de la raccompagner chez elle. Elle refuse. Elle attendra son tour pour demain, ici même.

— Que faisons-nous maintenant ? demandé-je à Sattâr.

— Moi, je vais à la morgue. Mais je t'appelle ce soir pour te dire où on en est.

Je le remercie. Il remonte sur sa moto et s'en va, le casque sous le bras. Il est 15 h 30. Je viens de passer huit heures avec un médecin légiste de la morgue, professeur de dissection à l'Université de la Police, un homme qui ne peut rien refuser à un photographe de quartier.

Je regagne mon *âjâns*. Le chauffeur dort. Je monte dans la voiture en espérant que le bruit des portières va le réveiller. En vain. Je tousse, je sors de la voiture et je fais claquer très fort la portière. Il dort toujours.

— Monsieur ! Monsieur ! Réveillez-vous s'il vous plaît !

Rien à faire. J'allume mon portable et je fais défiler les sonneries sous son oreille. Cette fois, il sursaute. J'ai réussi. Je monte dans la voiture et je lui demande de rentrer à la maison. La voiture démarre puis, au bout de cinq minutes à peine, elle s'arrête devant une échoppe sur laquelle est inscrit : SANDWICH AVANT, CINÉMA APRÈS. Le chauffeur descend et me prévient :

— Madame, excusez-moi, il me faut boire un verre de thé. Je ne voudrais pas vous paraître impoli, mais depuis ce matin je n'ai rien mangé.

Je hoche la tête.

— Et vous non plus, ajoute-t-il. Descendez et venez prendre un verre de thé avec moi. Ça ne vous fera pas de mal. Pour monter en ville, on va en avoir pour plus d'une heure. Alors ayez pitié de vous-même. Ne vous refusez pas un petit verre de thé.

Il a raison. Je descends de voiture. Nous entrons ensemble dans l'échoppe, qui sent l'oignon et le kebab. Il commande des omelettes et du thé, me propose une table et va s'asseoir plus loin. Je me lève et je l'invite à ma table. Il refuse (c'est du *târof*) puis il accepte. Le serveur apporte du thé, du pain parsemé de graines de pavot et des œufs au plat. Le chauffeur me dit :

— *Befarmâyin*. Servez-vous. Résister serait un péché.

Au même moment, un camion s'arrête devant l'échoppe. Deux hommes robustes en descendent : vestes noires et chemises blanches ouvertes. Ils portent au cou un *long*, un châle rouge et noir en coton, qu'ils utilisent pour nettoyer le pare-brise du poids lourd. Ils demandent à fumer du narguilé. Pas de problème.

Mon portable sonne. Je vois s'afficher sur l'écran le numéro de mon mari à Paris. J'appuie sur le bouton vert et je l'entends dire :

— Mais où es-tu ? Je te cherche depuis ce matin ! J'ai appelé mille fois Mohtaram et elle me répond toujours la même chose : « *Telefon later.* »

Il a raison. *Telefon later* est la seule information que Mohtaram puisse donner à des étrangers qui m'appellent à Téhéran : « Téléphone plus tard. » J'explique à voix basse à mon mari que j'ai passé la journée au Bureau des passeports. Les chauffeurs de camion, mon chauffeur et le serveur me regardent et m'écoutent, ébahis.

— Et alors ? Finalement, tu l'as eu ton passeport ? me demande mon mari.

Que lui répondre ? Que je me trouve actuellement avec un chauffeur de taxi dans une petite échoppe des quartiers sud de Téhéran, devant deux œufs au plat, après avoir passé toute la journée au Bureau des passeports ?

— Il est prêt, ton passeport ? Tu rentres quand ?

Je passe sous silence le fait que mon ancien passeport est perforé, et par conséquent inutilisable.

— Bientôt. Je viens tout juste de déposer la demande de renouvellement. C'est fait.

— Et tu l'auras quand ?

— Ça, je ne sais pas.

Les chauffeurs de camion, mon chauffeur et le serveur n'arrêtent pas de me dévisager. Je redoute soudain qu'ils se mettent à brandir sous mon nez des formulaires de visa.

— Là, je ne peux pas te parler, dis-je à mon mari.

— Mais où es-tu ?

— Devant des œufs au plat.

— N'oublie pas que nous sommes invités à Cannes, pour le festival. C'est bientôt.

Comme le festival de Cannes est loin ! Je me promets de me rappeler les deux chauffeurs de camion, le chauffeur de mon *âjâns* et le serveur, lorsque je grimperai les marches rouges du Palais du festival. Je me promets que ni les épingles dans mes cheveux, ni les talons de mes escarpins Bruno Frisoni ne réussiront à me faire oublier ces hommes de hasard, réunis autour de deux œufs au plat et d'un narguilé, stupéfaits de m'entendre soudain parler français au téléphone.

Le chauffeur règle l'addition, sans doute très légère. Nous remontons dans sa voiture. Une heure et demie plus tard, nous arrivons enfin devant mon immeuble.

Je lui demande combien je lui dois.

Il répond que je suis son invitée. Ça y est, le *târof* recommence. Il est d'usage que les chauffeurs de taxi refusent de se faire payer et que les clients insistent pour régler. Au terme de ma troisième tentative, je réussis à décrocher un chiffre. Je paye et le remercie pour les œufs au plat avant de descendre de sa voiture.

Dans le hall, M. Eskandari se lève en me voyant approcher.

— Mais où est-ce que vous étiez depuis ce matin ? demande-t-il.

— Au Bureau des passeports, réponds-je en appuyant sur le bouton de l'ascenseur.

Ça ne l'étonne pas. Il en profite pour se renseigner :

— Ça prend combien de temps un renouvellement, maintenant ?

— Plus d'un mois.

Ça ne l'étonne toujours pas.

Lorsque j'arrive chez moi, Mohtaram, qui achève sa prière, me prévient :

— Monsieur a téléphoné dix fois.

Puis elle se lance dans une longue énumération de noms inexacts. Je suis trop lasse pour la corriger. Je me jette sur mon lit. J'ai envie d'appeler Narguess et de lui raconter mon aventure. Mais je me retiens. Je suis vraiment trop fatiguée. Je n'en peux plus.

Deux heures plus tard, je me retrouve derrière la porte de l'appartement de ma tante. Masserat m'ouvre en me souriant à peine. Je l'embrasse, puis j'embrasse Samirâ qui paraît aussi morose que sa belle-sœur. Je ne vois pas Hamid. Il n'est pas venu me serrer la main. Je me dis qu'ils doivent tous m'en vouloir pour le portable.

Ma fille saute en riant dans mes bras. J'entends quelques chuchotements. Soudain, mon cœur fond d'inquiétude, je crains pour mon oncle. J'ai peur qu'il ne lui soit arrivé malheur. Je pénètre dans le salon : il est là, couché sur son lit. Le spectacle de son immobilité me rassure. Je cherche ma tante, je la trouve dans sa chambre, accroupie sur un fauteuil, la tête dans ses mains.

— Hamid a été arrêté ! dit-elle en sanglotant. (Ma tante pleure tout le temps.) Ce matin, il est parti en congé. Puis, vers trois heures, le docteur Bashiri nous a appelés pour nous prévenir que Hamid avait été arrêté avec, sur lui, de l'opium.

Comme je lui dis que je ne comprends pas la raison de ses larmes, elle me réplique :

— Mais personne ne peut se mettre à ma place ! Personne ne peut me comprendre ! Si Hamid…

Elle s'essuie le visage et continue en gémissant :

— Si Hamid n'est plus là, qui va faire la toilette de ton oncle ?

— Un infirmier, un autre Hamid, dis-je en lui tendant la boîte de Kleenex. J'appelle tout de suite Narguess pour qu'elle te trouve quelqu'un.

— Personne ne pourra remplacer Hamid, me rétorque-t-elle en se mouchant bruyamment. Tu ne te rends pas compte ! Comment je pourrais dormir près de la chambre d'un *nareh khar*, un malabar inconnu ?

La discussion est close. Elle a raison. De son point de vue, elle a raison. Je lui demande de me raconter les circonstances de l'arrestation de Hamid. Elle reprend un Kleenex et se mouche de nouveau.

— Il se promenait dans Sar Âsiâb Malârd, m'explique-t-elle. La police y a fait une descente et a embarqué tout le monde. Le docteur Bashiri dit que, dans ce quartier, tout le monde est suspect aux yeux des forces de l'ordre, que même lui, s'il y va, il pourrait se faire arrêter.

Je me retiens de répliquer que si docteur Bashiri y allait, il ne se baladerait pas avec de l'opium plein les poches.

— Hamid, poursuit ma tante, a tout de suite appelé le docteur Bashiri et, celui-ci, *que Dieu rallonge sa vie*, s'est rendu aussitôt au commissariat pour se porter personnellement garant de lui.

— Alors on l'a relâché ?

— Non, ils vont le garder un ou deux jours. Pour le libérer, ils exigent, de la part d'un proche, un titre de propriété comme caution. Le docteur Bashiri, *comment pourrai-je un jour m'acquitter envers lui*, doit y retourner avec le titre de propriété de son propre appartement.

Mon portable sonne. C'est Narguess. Elle propose de m'emmener à un *show*, une exposition de lanternes de cheminot. De lampistes, si l'on préfère.

La Révolution a fait de chaque Iranien un petit commerçant. Après l'instauration de la République islamique, les responsables de l'ancien régime – ceux qui n'avaient pas fui l'Iran – furent emprisonnés et leurs biens confisqués. Cependant, loin d'être abattues, leurs femmes, dépossédées de tout (voitures, maisons, chauffeurs, bonnes et jardiniers), se mirent à tricoter et à vendre des tailleurs en laine. Enhardies par quelques premiers succès, certaines investirent dans des machines à coudre. Elles engagèrent des couturières – d'une classe inférieure, dont les maris combattaient sur le front –, et confectionnèrent des vêtements pour enfants, qu'elles vendirent en gros aux *malls* des Émirats arabes. J'en connais une qui, alors que son mari croupissait en prison, racheta, au bout de deux ans, sa propre voiture – la taxe sur les voitures incite à l'achat de véhicules d'occasion –, et, au bout de six ans, récupéra sa maison confisquée. À sa libération, le mari, ancien gouverneur d'une province centrale, découvrit le confort « d'avant », à cette différence près que tout avait été « reconquis » par sa femme.

Moins entreprenantes, d'autres épouses se contentèrent d'embaucher un couturier anonyme, de faire recopier, par lui, des modèles en vogue à Paris et à Milan, d'organiser un défilé de mode, avec pour mannequins les nièces et les amies des nièces et de vendre les vêtements sur commande à des cousines et aux amies des cousines. Lorsque, après deux saisons, ces nouvelles « créatrices de mode » venaient à Paris, elles, qui n'avaient jamais passé un fil dans une aiguille, se conduisaient en véritables professionnelles et critiquaient sévèrement les entrejambes des pantalons Armani et les emmanchures de Max Mara.

D'autres transformèrent leur appartement en *show room*, le remplirent de marchandises achetées au Djomeh Bâzâr – la brocante populaire du vendredi –, et s'enrichirent en les vendant dix fois plus cher au corps diplomatique de la capitale. D'autres encore, plus chevronnées, ou plus imaginatives, inaugurèrent le cycle des *show* thématiques.

Ce soir, Narguess doit justement se rendre à un de ceux-là, où une amie (il s'agit toujours d'une amie) a collecté et mis en vente une centaine de lanternes de cheminot – celles qu'on balançait naguère sur les quais des gares pour guider l'arrivée des trains.

Je décline l'invitation. Je ne peux pas laisser ma tante, une boîte de Kleenex sur les genoux. Tant pis pour les lanternes.

— Je viendrai te chercher après le *show*, me prévient Narguess. Tu es sur mon chemin.

Je sais parfaitement que je ne suis pas sur son chemin. Mais malgré l'embouteillage, elle fera faire un grand détour, pour me voir.

Pour divertir ma tante, je lui raconte ma journée passée en compagnie d'un médecin légiste-professeur de dissection à l'Université de la Police, avec aussi un promoteur immobilier en quête d'un œil, une maque-relle expéditrice de filles à Dubaï, une vieille *tchâdori* qui soudoie les autorités avec des poules vivantes et un chauffeur *kolâh makhmali*, au doigt tranché, avec lequel j'ai partagé le meilleur des œufs au plat. Elle laisse glisser la boîte de Kleenex par terre et commence enfin à rire. Puis, brusquement, elle demande :

— Tu ne pourrais pas demander à ton docteur d'aller, ce soir, chercher Hamid au commissariat ?

— Non. Ça je ne peux pas, je t'assure. Je ne le peux pas.

Mon refus la replonge dans le labyrinthe sans fin de son besoin de Hamid mais aussi de sa dépendance, de ses manques, de ses somnolences, de ses faiblesses. Elle reprend la boîte de Kleenex et ne la lâche plus. Elle n'ose même pas raconter à son mari les péripéties de ma journée, de peur que le récit de mes mésaventures ne lui soit fatal. Pour la première fois de sa vie, peut-être, elle ne court pas lui répéter ce qu'elle vient d'entendre.

De leur côté, la femme et la sœur de Hamid, Masserat et Samirâ, se disputent dans la cuisine.

— Si jamais ma main l'atteint, déclare Masserat, je le couperai en morceaux, *tikeh, tikeh.*

— Ferme-la ! C'est à cause de toi qu'il est tombé là-dedans. Avant votre mariage, il ne fumait même pas de cigarettes.

— C'est ça, c'est ça ! J'ai épousé un saint que j'ai transformé en vaurien.

Ma tante se lève pour regagner son poste de commandement et les admoneste vigoureusement :

— Taisez vous maintenant, ça suffit ! Taisez-vous ou je vous chasse toutes les deux !

Le silence se fait aussitôt, même s'il ne s'agit que d'une menace. Lorsqu'un peu plus tard je passe devant la cuisine, je les vois toutes les trois en train de pleurer.

Narguess appelle. Elle m'attend dans le parking. Je vais faire mes adieux à mon oncle, qui somnole devant les informations d'Euro News, diffusées en boucle toutes les demi-heures. Je dis au revoir aux femmes, toujours en larmes, je mets un foulard et prends dans mes bras ma fille endormie.

Narguess ouvre la portière de sa voiture mais je n'arrive pas à m'asseoir tant le siège avant est encombré – de lanternes de lampiste. Elle se débat un moment avec les chaînes des lanternes et, ne parvenant pas à les démêler, elle me propose de m'installer derrière.

— J'en ai acheté trois, précise-t-elle, sans cesser de batailler contre les chaînes.

— Et qu'est-ce que tu vas en faire ?

— Si je ne peux pas les accrocher chez moi, je les mettrai dans la cave de ma mère. Tu sais, la femme de Total en a acheté dix.

Une fois montée à l'arrière de la voiture, je fais remarquer à Narguess que son foulard a glissé.

— Ce n'est pas grave, me répond-elle. Le soir, j'aère ma tête.

Narguess porte ses cheveux blancs très courts. Elle est persuadée qu'au volant on peut la prendre pour un homme. Elle ajoute non sans fierté :

— En te voyant sur la banquette arrière, on croira que je suis un chauffeur d'*âjâns*. D'ailleurs, un soir, l'hiver dernier, j'ai emmené une femme dans ma voiture. Elle s'est assise derrière. Je n'ai pas compris pourquoi. Mais lorsqu'elle est arrivée à destination, elle m'a demandé le prix de la course. En fait, elle m'avait prise pour un de ces hommes qui font le taxi en rentrant du bureau.

Je lui suggère néanmoins de remonter son foulard. Je n'ai aucune envie de terminer ma journée dans un comité révolutionnaire en compagnie de jeunes filles arrêtées, dans les centres commerciaux de la ville, pour non-respect du port du voile. Cela peut aller jusqu'à la punition corporelle, jusqu'au fouet.

Tandis que nous roulons vers mon immeuble, je lui raconte ma journée. Elle est la seule personne à qui je puisse tout dire sans craindre d'être réprimandée.

— Parfois, me dit Narguess, en passant dans une rue, je me mets soudain à transpirer.

— Pourquoi ?

— Parce que ces rues-là me rappellent des rendez-vous improbables avec des gens que je ne connaissais pas mais que je devais absolument voir pour empêcher la liquidation de notre usine. Alors Sattâr et Yâft Âbâd…

— En attendant, toi tu as récupéré ton usine et moi je n'ai toujours pas de passeport.

Il s'agit d'une usine d'équipement automobile qui avait été confisquée à sa famille. Je ne sais pas exactement quels accessoires s'y fabriquent. À force de ténacité, après plus de dix ans de démarches, de ruses, de trafics d'influence, Narguess vient enfin de gagner. L'usine lui a été rendue.

Nous passons devant l'atelier de photographie Ecbâtâne. Une lumière, à l'intérieur, éclaire mes douze chaises bien alignées, recouvertes de toile de jute. Voilà au moins une chose de faite.

— Ne sois pas préoccupée, me dit Narguess pour me rassurer alors que nous arrivons. Tu as de toute façon gagné un jour ou deux. Ne le lâche pas, ton Sattâr.

— Il devait m'appeler ce soir.

— Monte et appelle-le, toi.

Non, je ne peux pas l'appeler à 0 h 30. Cet homme s'est démené toute la journée pour moi, il doit être épuisé. Je choisis de le laisser dormir, mais je n'en dis rien à Narguess, qui n'hésiterait pas à le réveiller.

Lorsque je rentre chez moi, ma fille endormie dans les bras, je trouve Mohtaram en train de faire la prière de la « requête », *namâz-e hâdjat* – celle par laquelle on soumet une requête à Dieu.

Sa prière achevée, elle ne me dit rien. Moi aussi, je me tais. Certains événements sont là pour être tus. Ce soir, seul son Dieu doit connaître son désir. Je respecte son choix.

Je tâche de m'endormir en essayant de trouver un endroit où Narguess pourrait accrocher ses lanternes.

Soudain, le téléphone sonne. Je sursaute et réponds. C'est Sattâr.

— Nahâl *djân*, je t'ai réveillée ? me demande-t-il.

— Non, dis-je machinalement.

— Tant mieux. Alors rejoins-moi demain matin à 10 heures, devant l'entrée de l'hôpital Firouzgar.

— Pour quoi faire ?

— Pour ton passeport, voyons.

J'essaie de noter l'heure et le lieu sur un album de Dora, appartenant à ma fille.

— Fais une photocopie de ton reçu, ajoute Sattâr, pour la donner au colonel Âzardel.

— À l'hôpital Firouzgar ?

— Oui, j'y serai, un peu avant toi. Pour disséquer un cadavre. Celui d'un cousin du colonel, justement. Maintenant, bonne nuit, dors bien.

Je rappelle aussitôt Narguess.

— Tu vois bien qu'il t'a appelée. Tu t'inquiétais pour rien. Ah, au fait, il faudrait que nous retournions voir le disquaire chez qui on a acheté le coffret de Delkash. Par moments, ça saute. Je t'avais dit de ne pas lui faire confiance, à ce type.

— Il nous a promis de le changer, en cas de problèmes.

— Écoute ça.

Elle se tait. J'entends le tube de Delkash, *Âshofteh hâli*, celui qui fendait toujours le cœur de ma mère : « C'est à toi que je dois mes angoisses, mes faiblesses, à toi Cheveux sur les épaules. C'est à toi que je dois mon sourire sur le tumulte de la vie, à toi Yeux noirs, Cheveux noirs. »

Je me rappelle ma mère et son sourire sur le tumulte de la vie.

Mardi

Ma fille me réveille vers 8 heures en braquant une lampe-torche directement sur mes yeux. J'appréhende cette nouvelle journée et pourtant, tel un aimant inhabituel, le monde de Sattâr m'attire. Je commande une *âjâns*, avec l'espoir secret de retrouver le *kolâh makhmali* de la veille et peut-être de déjeuner avec lui, après l'hôpital Firouzgar, dans un *tchelo kabâbi* populaire.

L'*âjâns* arrive. Ce n'est pas le même chauffeur. Celui d'aujourd'hui pourrait être employé de banque. D'ailleurs il se peut qu'il le soit. Il porte une chemise sans cravate (la cravate est également honnie par l'islam, d'où les chemises à col Mao que portent tous les officiels iraniens à l'ONU et dans les sommets internationaux) sous une veste grise, stricte. Je lui indique notre destination avec cependant quelque assurance dans la voix. Cette assurance repose sur le fait que l'hôpital Firouzgar a été fondé par le grand-père d'un ami et que par conséquent, me dis-je, l'endroit ne peut pas m'être totalement hostile.

On se rassure comme on peut.

Pour y aller, l'homme choisit la pire des auto-routes, la plus encombrée, la plus lente. Je veux protester, mais je ne connais pas le nom de celle qui serait fluide. J'hésite, mentalement, entre différents noms de généraux tombés à la guerre. En fin de compte, je renonce à le guider. Je serai sans doute en retard : tant pis.

La chaîne audio de la voiture diffuse la voix d'une fillette qui déclame, avec ardeur, des poèmes d'amour. Elle se plaint d'avoir été trahie et abandonnée. Je demande au chauffeur, avec précaution, s'il s'agit d'une émission de la radio nationale ou d'un CD.

Je crains de donner l'impression d'être quelqu'un qui vit à l'étranger. Cela doublerait aussitôt le prix de la course.

— C'est un CD, me dit-il. J'achète tout ce qu'elle fait.

Je suis perdue. J'espérais que la chanson viendrait de la radio pour oser demander de l'interrompre. Mais il s'agit d'un CD, du choix personnel de mon chauffeur du jour, je suis donc condamnée à l'écouter jusqu'au bout. La fillette se plaint maintenant (vieille histoire) d'avoir été remplacée, dans le cœur faible de son amant, par une autre. J'en ai la chair de poule. Comment peut-on interdire à une femme de chanter alors qu'on autorise une fillette (onze, douze ans ?) à proférer publiquement des mots enflammés ? Il s'agit peut-être, me dis-je, d'un enregistrement effectué à Los Angeles par la diaspora iranienne. Par satellite, celle-ci inonde l'Iran de clips où l'on voit de jeunes Ira-niennes, fesses charnues et seins regonflés, chanter en persan les sempiternels refrains de la séparation, et aussi des programmes dits scientifiques où un « psychanalyste » répond en direct aux questions de compatriotes névrosés, tristement restés au pays. On peut également y suivre, presque chaque jour, des « débats politiques » qui, depuis près de trente ans, égrènent le compte à rebours de la durée de vie de la République islamique.

Le chauffeur me tend l'étui du CD. J'y vois le nom de la chanteuse, Maryam Heydariân, et la photo d'une jeune femme à lunettes noires.

— Mais quel âge elle a, cette chanteuse ? demandé-je.

— Vous ne la connaissez pas ?

— Non.

Il m'a dit « vous », comme c'est souvent le cas dans les *âjâns*. On y garde généralement une certaine distance.

— Comment se fait-il que vous ne la connaissiez pas ? Tout l'Iran ne parle que d'elle. Elle est aveugle. Elle doit avoir vingt-deux, vingt-trois ans. Mais elle a gardé sa voix d'enfant.

Je suis démasquée. Il sait maintenant que je n'habite pas l'Iran. Le tarif est d'ores et déjà doublé, triplé peut-être.

La voix restée enfantine continue de s'apitoyer sur son triste sort, je continue à ne pas la supporter et à regretter le silence du *kolâh makhmali* d'hier.

Nous arrivons enfin devant l'hôpital Firouzgar, avec un quart d'heure de retard. J'appelle Sattâr. Il me demande de descendre du taxi et de patienter un moment à côté du kiosque du marchand de fleurs. Je sors, ravie d'échapper aux minauderies sirupeuses d'une jeune aveugle au timbre de poupée. J'attends sur le trottoir un quart d'heure. Puis une demi-heure. Le portier de l'hôpital commence à s'inquiéter de ma présence. Qui suis-je ? Qu'est-ce que je fais là à 11 heures du matin ? Je prends les devants et lui explique que je suis une connaissance du docteur Askarniâ et que je l'attends. Il paraît se contenter de ma réponse et s'éloigne. Je continue d'arpenter le trottoir.

Un homme passe et me dit rapidement, à voix basse, du coin de la bouche :

— Tu baises ?

En Iran, c'est la manière la plus directe de draguer. La plus efficace ? Je ne sais pas.

Sans répondre, sans même un haussement d'épaules, je regagne la voiture et la complainte infantile de la chanteuse aveugle, qui n'en finit pas d'être larguée. Je reprends ma place sur la banquette arrière. Après un quart d'heure, j'appelle de nouveau Sattâr. Pas de connexion. Je descends du véhicule, une Peykân nationale, je m'avance vers le portail de l'hôpital et là je compose une fois de plus le numéro de Sâttar. Cette fois, il répond. Il passe même sa tête par la fenêtre du deuxième étage, agite ses ciseaux de chirurgien et me crie :

— Ne bouge pas ! J'ai bientôt fini ! Il ne me reste plus que son intestin !

Et il répète :

— Son intestin !

Il fait claquer les ciseaux dans l'air. J'abaisse mon regard. Sur le trottoir d'en face, l'homme qui m'a draguée sans ambages attend toujours ma réponse. Je me dirige vers le kiosque de fleurs et je choisis, avec une lenteur extrême, deux bacs de jasmins. Je règle. Le fleuriste apporte les bacs de fleurs jusqu'à la Peykân. Je le suis, redoutant d'être de nouveau abordée par l'homme qui attend sur le trottoir d'en face. Mon portable sonne. C'est Sattâr :

— *Ey bâbâ,* où es-tu ? Je t'ai bien demandé d'attendre devant le fleuriste, non ?

Je me retourne et je l'aperçois en compagnie de cinq gaillards, dont le colonel Âzardel, campé devant des pots de géranium. J'explique à Sâttar que je me trouve de l'autre côté de la rue, à cinq mètres d'eux. Lorsqu'il me repère, il ajoute en baissant la voix :

— N'oublie pas de présenter tes condoléances au colonel.

Je n'y manquerai pas. Je me dirige vers eux. Je salue le colonel, qui est en civil.

— J'espère que ce sera votre dernier deuil, lui dis-je aussitôt.

Il me remercie d'un hochement de tête, regarde Sattâr, qui lui chuchote quelques mots à l'oreille, et me prie de lui donner le reçu d'hier. Je le tire de mon sac. Il me réclame ensuite mon numéro de portable. Je le lui donne, malgré les hurlements de ma petite voix, que je fais taire sur-le-champ. Le colonel note le numéro au-dessus de calligraphies coraniques, sur un faire-part de décès.

J'interroge du regard Sattâr.

— Pars tranquille, me dit-il. Le colonel, malgré toutes les difficultés qu'il traverse en ce moment, s'occupera personnellement de ton passeport.

Je sais que cela ne se fait pas, et que je dois respecter un deuil récent, mais je questionne tout de même Sattâr :

— Ce sera prêt quand ?

— Au plus tard dans une semaine. Je t'appellerai, ne t'inquiète pas, tout est en ordre.

Je remercie le colonel, Sattâr et les autres hommes, et je remonte dans la voiture. Je ferme les yeux. Même la voix puérile de la femme aveugle ne me dérange plus.

Lorsque nous arrivons devant mon immeuble, le *târof* commence avec le chauffeur.

— Combien je vous dois ?

— Soyez, cette fois, notre invitée.

J'ouvre mon portefeuille, j'en retire quelques billets.

— Je vous remercie infiniment. Ça fait combien ? dis-je.

Il prend un cahier, met ses lunettes et examine une série de tableaux pleins de chiffres.

— Dix mille *tomans*, conclut-il.

Je règle sans protester, sans faire remarquer que, pour ce type de course, il n'aurait dû prendre que six mille *tomans*.

Je rentre chez moi. Dans le hall, je découvre M. Eskandari et mes douze chaises, rangées deux par deux.

— Les photographes sont passés tout à l'heure, m'annonce-t-il.

— Et pourquoi ne sont-ils pas montés ?

— Il n'y avait personne en haut. Mme Mohtaram est partie en catastrophe. Elle a aussi emmené la
petite.

— En catastrophe ? Mais pourquoi ?

— Je ne sais pas.

Je laisse les chaises dans le hall et j'appelle immédiatement ma tante. Pourvu qu'il ne soit rien arrivé à
mon oncle. Heureusement c'est elle qui décroche,
m'évitant ainsi d'énumérer, comme chaque jour, les
noms de chaque membre de la famille de Mohtaram.
La voix de ma tante ne porte trace d'aucun nouveau
désastre :

— Avant de libérer Hamid, me dit-elle, ils ont
voulu parler à ses parents. Mohtaram est venue ici, elle
a laissé la petite, et ils sont allés ensemble au commissariat avec le docteur Bashiri, *que Dieu redouble son prestige et son honneur.*

J'en profite pour rassurer ma tante à propos de
mon passeport en répétant mot pour mot la phrase de
Sattâr :

— Le colonel Âzardel s'occupe personnellement
de mon cas.

Elle paraît satisfaite. Un colonel, c'est rassurant.

— Une chose, ajoute-t-elle. M. Sâbeti va passer
tout à l'heure chez toi.

— Pourquoi ?

— Parce que Kiara n'a plus aucune chaîne pour
enfants.

M. Sâbeti est notre installateur de paraboles.
L'affaire des paraboles en Iran constitue un jeu subtil
de chat et de souris entre les autorités et les millions
d'usagers. Officiellement, tout est interdit. Mais dans

129

la pratique, chaque petit immeuble possède cinq à dix paraboles, cachées judicieusement dans des abris, sur les toits. La vigilance des gardiens de la Révolution dépend directement de la politique étrangère de l'Iran. Depuis l'histoire du nucléaire, les contrôles se sont multipliés et nombreux sont ceux qui ont commencé à démonter leurs paraboles, pour les remonter quand ça ira mieux, et à les ranger soigneusement dans leur emballage d'origine (en Iran, tout le monde conserve les emballages d'origine, j'ai même vu derrière le bazar, toute une allée consacrée à la revente de ces cartons).

Je sais que dans quelques jours ma tante, elle aussi, dissimulera, momentanément espère-t-elle, sa propre parabole. D'ici là, je prends le risque de garder la mienne et même, audace extrême, d'y programmer des chaînes pour enfants.

Cette opération, dans le langage courant, s'appelle *upgrade*. Chacune des phrases de M. Sâbeti, le technicien, comporte au moins trois fois le mot *upgrade*. Cela donne :

— Madame, je dois tout d'abord *upgrader* les chaînes françaises. Rien que cet *upgrade* me prendra deux heures, ensuite si vous désirez que j'*upgrade* d'autres chaînes, il vous faudra attendre jusqu'à demain. Parce que je dois aussi aller chez votre tante pour *upgrader* son Euro News.

Le visage déformé de M. Sâbeti s'affiche sur le visiophone. M. Sâbeti est un homme d'une quarantaine d'années, compètement rasé et parfumé. Son métier, qu'il exerce dans une clandestinité absolue, exige un look sinon élégant, du moins propret. Je m'apprête à être bombardée d'*upgrades*. M. Sâbeti entre avec son ordinateur, son attaché-case, et des mètres de câbles de diverses couleurs. Il sait que, chez moi, il n'a pas à enlever ses chaussures. Il se dirige directement vers la bibliothèque, où se trouve aussi le poste de télévision, l'allume, s'assied sur le canapé, se penche sur son ordinateur portable et commence la fameuse opération de l'*upgrade*.

Je le laisse seul tandis qu'il appelle un collègue.

— Pour *upgrader* Piwi… C'est bien Piwi, madame ? me demande-t-il.

— Oui.

— Il faut passer par quoi ?

Je lui réponds, depuis le salon :

— Piwi ou Tiji, ou Canal J, peu importe. Mais aussi et surtout France 2 et France 3, et Arte… Ah, et puis laissez-moi aussi les chaînes de la République islamique, ne les supprimez pas.

— Vous êtes bien la seule cliente qui me demande de ne pas enlever les chaînes officielles et d'*upgrader*, non pas les télés de Los Angeles, mais Arte. Qu'est-ce que vous trouvez à cette Arte ? J'ai essayé une seule fois de la regarder : alors que nous étions à table, ils passaient une émission sur la polio ! Vous croyez que nous avons besoin de ça, en Iran ?

Je ne réponds pas. Je le laisse continuer. Le téléphone sonne. Ma cousine, l'experte en vins, est au bout du fil. Elle aussi veut faire renouveler son passeport, et elle a appris, par ma tante, que j'ai réussi à éviter la queue de vingt-quatre heures et le nouveau délai d'un mois.

— Peux-tu me mettre en relation avec le type qui t'a arrangé ça ?

— Rien n'est encore fait. Tout est en suspens. Je ne sais même pas si je l'obtiendrai, mon passeport.

— Ah, si tu ne veux pas me dire qui il est…

— Mais si ! Seulement je le connais à peine. Si ça se trouve, c'est un incapable, un marchand de vent. Laisse-moi d'abord récupérer mon passeport. Ensuite, je te donnerai ses coordonnées.

Elle raccroche. Elle semble vexée.

M. Sâbeti tousse avant de pénétrer dans le salon, où je suis assise. Il est d'usage, dans les familles traditionnelles, que les *nâ mahrams*, ceux qui ne font pas partie de la famille, signalent leur présence par un toussotement ou un autre bruit.

— Madame, je profite de l'absence de Mohtaram *khânoum* pour vous dire que ça serait bien si on verrouillait les chaînes pornos. Vous savez, cette classe de la société a été tellement privée de tout, depuis tant d'années, que, exposée au déferlement de ces images, elle peut subitement péter les plombs.

Je préfère ne pas lui expliquer que, selon Mohtaram, dans sa ville natale de l'est de l'Iran, à Kâshmar, les gens passent des heures à visionner des cassettes pornos. Elle-même, à l'occasion d'un voyage à La Mecque (financé par moi, suite à mon vœu d'avoir un enfant), vit arriver chez elle, la veille de son départ, une jeune cousine avec un billet de dix dollars et l'adresse d'une boutique de lingerie, non loin de la Kaaba.

— Tu vas voir, lui dit-elle, juste en sortant de la « Maison de Dieu », tu tournes un peu sur ta gauche.

Et là tu vois l'enseigne couleur fuchsia d'un magasin de lingerie. Tu ne peux pas ne pas la voir. Fuchsia.

Mohtaram ne voulait aller à La Mecque que pour voir Dieu, ou ses fidèles.

— Tu entres, continuait la jeune cousine. Tous les modèles sont exposés sur cintres, donc ce n'est même pas la peine de paniquer pour la langue. Tu n'as rien à demander. Tu me prends le string dont la fente de devant a la forme d'un cœur. C'est facile. Tu m'en prends deux, un rouge et un panthère. D'accord ?

Mohtaram, qui ne voulait acheter que des chapelets de pèlerinage et de l'eau bénite, prit cependant les dix dollars et rassura sa cousine : elle rentrerait bel et bien de La Mecque en rapportant, dans sa valise, deux strings, l'un rouge et l'autre panthère, avec une fente en forme de cœur sur le devant.

Mais l'audace lui manqua. À son retour, lorsque la jeune demandeuse de strings revint la voir, Mohtaram lui rendit les dix dollars avec un coran de poche, en guise de cadeau-souvenir. Piquée par la colère, la jeune femme saisit les dix dollars d'un geste sec en disant que c'était bien la peine d'aller à La Mecque pour n'en rien ramener d'intéressant et s'en alla sans même avoir vidé son verre de thé.

Lorsque je demandai à Mohtaram pour qui la cousine libertine voulait porter ce string, elle me répondit :

— Pour son mari, évidemment.

— Il fait quoi, son mari ?

— Il est éboueur.

Malgré les connaissances de Mohtaram en matière de cassettes érotiques (très répandues, selon ses dires, dans sa ville d'origine), j'approuve l'initiative de M. Sâbeti et je l'autorise à verrouiller les chaînes pornos. Il faut dire que ces cassettes donnent une image étrange de l'Occident, une image fausse bien sûr, et même extravagante, où toutes les femmes n'ont comme seul désir que de se jeter sur tout homme qui passe, mais une image qui, pour un grand nombre d'esprits simples, passe pour être la vraie. D'où une frustration généralisée, permanente, conduisant à des abîmes de perversions solitaires que je n'ose pas imaginer – et à une négation aggravée de la femme iranienne. Et cela vaut aussi pour d'autres pays islamiques.

— Pour les verrouiller, me dit le technicien bien rasé, il faudrait que vous soyez présente, parce que quelquefois quand on verrouille une chaîne, d'autres disparaissent du même coup. On ne sait pas pour quelle raison.

Ma petite voix s'affole (trop de risque, trop de risque !) et me recommande de délaisser cette opération, qui nécessiterait de regarder les chaînes pornos, assise sur le canapé de la bibliothèque, en compagnie de M. Sâbeti. Une fois de plus, je n'écoute pas ma petite voix. Je m'assieds sur le canapé, à quelque distance, tout de même, du technicien, afin de me tenir bien à l'abri des effluves grisantes de son eau de Cologne. M. Sâbeti, télécommande à la main, zappe énergiquement, repère une chaîne porno, s'y arrête un instant (pour être bien sûr qu'elle soit vraiment porno), appuie sur quelques boutons pour bloquer le système et continue de plus belle, sans dire un mot.

Ma petite voix m'encourage à me lever et à quitter la pièce. Mais je reste, par paresse ou par raisonnement. Après tout, M. Sâbeti est un professionnel de l'image. Regarder avec lui le sexe et l'anus d'une blonde gémissante pénétrés, en même temps et en gros plan, par deux énormes verges noires n'est pas plus compromettant, me dis-je, qu'une séance d'essayage de pantalon chez un tailleur.

J'essaie de m'en convaincre, sans y parvenir tout à fait.

Le visiophone sonne de nouveau. J'abandonne M. Sâbeti et les hardeurs en plein travail. Le visage aperçu dans le visiophone ne me dit rien. J'ouvre le micro et je demande :

— Qui est là ?

Aussitôt je distingue, malgré la mauvaise qualité de l'appareil, une main qui repousse des cheveux et j'entends, au même moment, une voix me dire :

— Salâm, c'est Morâd. Je suis là, en bas. J'apporte les chaises ?

Il ne manquait plus que lui avec ses douze chaises. Je lui suggère de les monter quatre par quatre dans l'ascenseur.

Je me demande comment les livreurs et les visiteurs s'arrangent pour venir, tous ensemble, au moment où précisément Mohtaram est absente. Il faut leur offrir du thé et je n'ai jamais su, en ce qui concerne cette boisson, satisfaire le goût de chacun de mes invités. Certains prennent le thé dans des tasses, d'autres dans des petits verres *kamar bârik*, « taille fine ». Certains refusent leur thé s'il n'est pas servi dans de grands verres « à la turque » et s'il n'a pas longuement infusé. Quant à la couleur, elle doit être foncée pour certains, claire pour d'autres. Si par malheur on sert du thé clair à un partisan du thé foncé, il le repoussera en le comparant à *âb-e zipo*, à de la soupe. De la même façon, lorsqu'on offre du thé noir à un adepte du thé clair, il ne le touche pas mais déclare en détournant son regard :

— Retire-moi ce breuvage d'opiomane.

La variation des refus est à l'infini. Quel embarras si, par mégarde, on sert du thé tiède noir, dans un *kamar bârik*, à un fidèle de thé brûlant qui ne le boit que s'il est de couleur claire et servi dans des grands verres « à la turque ». Que faire, alors ? Pour échapper aux exigences diverses, et la plupart du temps contradictoires, des invités, j'ai décidé de servir du café à tout le monde. Mohtaram ne se gêne pas pour me dire que proposer aux peintres, aux menuisiers, aux techniciens et à toute la classe ouvrière qui travaille chez moi le très bon café que j'ai apporté de Paris, c'est tout simplement du gâchis. Mais je ne tiens pas compte de son avis. Quand je suis seule et que j'ai des invités, c'est le café qui me sauve.

Morâd arrive, quatre chaises sous les bras. Je tiens à lui serrer la main. Il pose les chaises par terre et me rend mon salut. Il veut enlever ses chaussures mais je lui rappelle que chez moi il peut les garder. D'ailleurs, il doit redescendre pour les huit autres chaises, ce qui demandera encore deux voyages. Il reprend les quatre premières chaises, les transporte dans la salle à manger et me demande :

— Vous avez bien vu le docteur Askarniâ, n'est-ce pas ?

Je lui dis, en quelques mots, que le docteur Askarniâ s'est montré très serviable et qu'il a tout fait pour m'aider. De la bibliothèque nous parviennent alors les gémissements de quelque blonde en extase. Morâd dresse l'oreille. Sans trop attendre, je lui explique qu'un technicien est occupé à *upgrader* (j'utilise un mot dont j'ignore le vrai sens) la parabole. Morâd passe ses mains dans ses cheveux, sans faire de commentaires, et sort pour aller chercher d'autres chaises.

Je vais à la cuisine, je prépare en vitesse le café et j'invite M. Sâbeti à passer au salon. Il toussote avant de pénétrer dans la pièce et s'exclame, en humant l'odeur du café :

— *Bah, bah,* il n'y a que chez vous qu'on puisse avoir un aussi bon café. *Upgrader* dans ces conditions ce n'est plus du travail, c'est du luxe.

Au même moment, Morâd revient avec quatre autres chaises sous les bras. Les deux hommes se saluent en se dévisageant réciproquement. Il est clair qu'aucun d'eux ne voit d'un bon œil la présence de l'autre. Pourquoi ? Je me le demande.

— Je monte cacher votre parabole, me dit M. Sâbeti.

— Où ça ?

— Sur la terrasse de la dame du dernier étage, vous savez, derrière les grandes marmites de *nazri*, d'offrande rituelle.

— Et ce n'est pas dangereux pour cette voisine d'« héberger » ma parabole ?

— Non, m'assure-t-il. Non, celle-là, c'est une gaillarde. Rien ne lui fait peur. Si tout le monde lui ressemblait, croyez-moi, nous n'en serions pas arrivés là.

Il achève son café et ajoute en se levant :

— *Bâ edjâzeh*, avec votre permission.

Il sort. Morâd attend que les portes de l'ascenseur se referment avant de parler :

— Vous payez ce type pour qu'il *upgrade* vos chaînes ?

— Oui, M. Sâbeti est engagé par le syndic de l'immeuble.

C'est un mensonge. M. Sâbeti travaille dans l'illégalité la plus totale. Morâd, qui s'en doute probablement, insiste :

— Combien vous lui donnez pour cet *upgrade* ?

— Cinquante mille *tomans*, déclaré-je en réduisant de moitié le montant réel de la facture.

— Autant que ça ? Dites-moi : est-ce que Hassan et moi faisons figure d'handicapés pour que vous vous croyiez obligée de passer par des gens comme lui ?

— M. Sâbeti fait son devoir avec compétence et honnêteté.

— C'est de l'honnêteté ça ? Pianoter sur son ordinateur portable, regarder des chaînes, je m'excuse… des chaînes X, en compagnie d'une dame de votre classe, siroter tranquillement le meilleur café de Téhéran et demander un prix pareil ? C'est de l'honnêteté, ça ?

Ma petite voix m'avertit que je ne dois pas me laisser distraire, que je dois impérativement oublier la parabole et les chaises pour me concentrer sur le passeport. Pour une fois, je l'écoute et je demande :

138

— D'après vous, maintenant, j'appelle le docteur Askarniâ ou non ?

Il se dirige vers les quatre chaises et déclare fièrement, la main tendue, comme s'il n'avait pas entendu
ma question :

— Admirez un peu le travail ! Des chaises
tapissées et livrées en moins de quarante-huit heures !

Je le remercie (les chaises, en ce moment, ne
m'intéressent pas vraiment) et je reviens à ma préoccupation principale :

— À ma place vous appelleriez le docteur
Askarniâ, ou non ?

Morâd jette un coup d'œil à la tasse vide de
M. Sâbeti.

— À votre place, vous savez ce que je ferais ? Je
flanquerais dehors ce soi-disant technicien. Et plus vite
que ça.

— Pour mon passeport, il n'y a pas de raison de
s'inquiéter, alors ?

Il dégage son front d'un geste qu'il croit élégant
et affirme, très sûr de lui :

— *Doctor* est un frère pour moi.

Je suis apaisée. Pour le moment je n'ai pas à
appeler Sattâr, comme me le suggérerait certainement
Narguess. Je sers une tasse de café à Morâd et je bois
un verre d'eau sucrée (baisse de tension exige) afin de
me préparer à la séance de *târof* habituelle, celle qui
précède chaque paiement.

Je prends un ton très sec et presque inamical :

— *Âghâ* Morâd, si vous voulez me faire plaisir,
indiquez-moi comme ça, de but en blanc, la somme
que je vous dois pour les chaises.

À mon grand étonnement, il demande :

— Livraison comprise ?

— Livraison comprise.

— Quatre-vingt mille *tomans*.

C'est une victoire. Je viens de gagner une demi-heure. Je le paye sans discuter. Avant qu'il ne s'en aille, je cours même chercher deux boîtes de café que je lui offre, en guise de remerciement, pour son entremise auprès de Sattâr.

— Une pour chacune de vos femmes, dis-je.

Il les prend et m'informe qu'il va m'apporter les quatre dernières chaises. Puis il se retire. Au même moment, M. Sâbeti, qui revient du toit, sort de l'ascenseur. Ses yeux se braquent immédiatement sur les deux boîtes de café que tient Morâd.

— J'ai camouflé la parabole, annonce-t-il, de telle sorte que même un *djen*, un génie ailé, serait incapable de la trouver.

Il entre, inspecte les chaises avec dédain, et ajoute (mais Morâd ne peut l'entendre, il est déjà dans l'ascenseur) :

— Alors maintenant, on recouvre les chaises avec de la toile à sac et on appelle ça de la tapisserie ?

— *Âghâ* Morâd est un photographe, vous savez. Il a juste eu la gentillesse de me les livrer.

Je préfère ne pas évoquer les deux épouses couturières. Qui sait où cela pourrait nous entraîner ?

M. Sâbeti hausse les épaules et s'apprête à partir. Je le laisse un instant, et reviens avec une autre boîte de café.

— Une petite chose pour vous. Tenez. Comme ça, où que vous soyez, il vous suffira de le boire pour que le travail se métamorphose en plaisir. Ou même en luxe, comme vous dites.

Morâd revient alors, portant les dernières chaises. Il aperçoit la boîte de café que je viens d'offrir au technicien, et que ce dernier ne cherche pas à cacher, bien au contraire. Il la tient serrée contre sa poitrine comme un trophée. Ce cadeau ne plaît guère au photographe, je le vois clairement. M. Sâbeti, de son côté, ne parvient pas à dissimuler son dédain pour le travail de tapisserie.

Désignant les chaises, il déclare :

— Que tout soit clair entre nous, je n'ai pas dit ça pour me faire choyer.

— C'est juste une petite chose, précisé-je en indiquant le café. Juste un souvenir.

— Qu'est-ce que monsieur le technicien a dit à propos des chaises ? demande Morâd.

— Rien, rien, il n'a rien dit.

Je n'ai plus de force. Qu'ils s'en aillent tous les deux au plus vite.

Ce qu'ils font. Peut-être poursuivront-ils leur discussion dans l'ascenseur. Ça m'est égal.

Je me dirige vers mon lit. Ma petite voix me prévient que je n'ai même pas examiné les chaises. Je la laisse à ses doutes. Je suis trop fatiguée pour être contrariée. « Quatre-vingt mille *tomans* et un travail mal fait ! Tout de même ! » persiste à me murmurer ma petite voix.

Je retourne au salon, j'inspecte deux ou trois chaises. M. Sâbeti avait raison : le résultat n'est pas vraiment satisfaisant. Le travail est vite et mal fait. Mais je me console en songeant que ces quatre-vingt mille *tomans* m'ont évité une queue de quarante-huit heures et les fatigues inquiètes qui s'ensuivent.

Je m'endors, en essayant une fois de plus de trouver une place pour les lanternes de lampiste dans l'appartement de Narguess. Le téléphone sonne. C'est mon mari :

— Alors, ton passeport ?

— J'ai vu aujourd'hui le *big boss*, le numéro un. Il m'a annoncé que ça prendrait une semaine.

— Je ne comprends pas. Je t'assure, je ne peux pas comprendre ce qui se passe là-bas. Alors tu ne seras pas là pour Cannes ?

— J'ai bien peur que non. Mais j'espère que je serai revenue pour Venise.

— Mais Venise, c'est début septembre, et puis nous ne sommes pas invités !

Je ne sais que lui dire. J'avais essayé de plaisanter. Je le rassure de mon mieux, je le calme. Comment expliquer, au téléphone, tous mes tours et détours ?

Un peu plus tard, je reçois un appel de Narguess. Elle voudrait que nous allions dîner dans un restaurant japonais. Non, je ne me vois pas manger des sashimis, le foulard noué sous le menton et les jambes en lotus. Je l'invite plutôt à venir à la maison. Nous commanderons des sandwichs chez Bix, le traiteur en vogue, et nous regarderons le DVD de *Mar adentro*.

Soudain je la vois là, assise sur mon lit. J'ai dû dormir une quinzaine de minutes. Narguess connaît tout le monde, à Téhéran. Elle peut monter partout sans être interrogée par les gardiens. Dans les ascenseurs de tous les immeubles, il est rare qu'elle n'arrive pas à déterminer, après quelques secondes à peine, le nom de l'inconnu avec lequel nous nous trouvons. Elle connaît même le nombre de ses maîtresses et jusqu'à l'ampleur de sa fortune. Cela donne par exemple :

— Tu sais, à l'époque du Shah, ce type possédait toutes les usines d'huiles de consommation. Maintenant, il travaille avec les mollahs. Sa femme sort avec un diplomate belge et lui-même se tape des filles de vingt ans. Il vient d'acheter un triplex de mille mètres carrés, avec une piscine sur le toit.

Narguess tire de son sac le menu de Bix. Il est en anglais. Nous devons user de toutes nos connaissances linguistiques pour décoder la liste des sandwiches. Après un certain nombre d'hésitations, nous fixons notre choix sur deux *California clubs* et nous passons commande.

En attendant, je fais un rapide exposé de ma journée à Narguess. Mais, avant toute chose, elle exige de vérifier les galons des chaises.

— Alors, pour le passeport, d'après toi, c'est bon ? dis-je tandis qu'elle colle son visage sur la passementerie d'un des sièges.

— Il faut appeler Sattâr tous les jours, me répond-elle. Et même plusieurs fois par jour. (Et elle enchaîne sans attendre :) Mais qu'est-ce que c'est que ce travail ? Même moi, j'aurais fait mieux ! Ils ont collé le galon avec de la colle Uhu !

Saisissant l'extrémité d'un galon, elle s'exclame :

— Regarde, rien qu'en le touchant, il se décolle ! Sans même tirer dessus ! Quatre-vingt mille *tomans* pour ça ?

Elle a sans doute raison, mais j'ai d'autres soucis en tête.

Le livreur arrive peu après. Pour le règlement des sandwiches débute alors une guerre entre Narguess et moi. Mon argument me paraît sans appel :

— Tu es chez moi !

— Très bien.

Et elle consent à se laisser inviter. Je paie vingt mille *tomans* et nous déballons les sandwiches : deux minuscules toasts avec quatre tomates cerises et deux pellicules transparentes de jambon de « poulet » – la consommation du porc étant évidemment interdite par l'islam. Nous les avalons en une bouchée, dans le couloir, avant d'arriver à la bibliothèque. Je mets le DVD de *Mar adentro*. Cependant, avant que le film ne commence, Narguess décrète :

— Pour les sandwiches, on s'est fait avoir, ça c'est sûr. Mais pour les chaises, tu ne peux pas accepter. Appelle tout de suite tes photographes que je leur dise deux mots.

Le générique du film commence.

— *Badan, badan*, plus tard, dis-je.

Les yeux de Narguess se ferment au bout de cinq minutes. Ils ne s'ouvriront que sur la dernière image. Une heure et demie de tranquillité. Après quoi ma tante appelle pour me prévenir que Mohtaram et ma fille Kiara sont en route pour la maison. Elle me demande ce que nous faisons. J'évite de lui dire que je viens de regarder un film où un handicapé qui ne peut quitter son lit a, pour seule espérance, que quelqu'un l'aide à mourir.

Narguess s'en va. Mohtaram et Kiara arrivent. Je prends ma fille avec moi dans le lit, négligeant les recommandations des pédiatres : « Il faut encourager les enfants à dormir seuls. »

Badan, badan, plus tard, plus tard.

Et je m'endors sans avoir trouvé d'emplacement pour les lanternes de Narguess.

Mercredi

Ce matin, libérée des préoccupations du passe-port, je demande à un de mes amis très chers, un érudit francophone, traducteur (entre autres) de Balzac, de m'accompagner dans un *pâssâj*, un centre commercial. La tenue vestimentaire de la jeunesse iranienne, dans ces centres, demande une attention particulière. Et elle est très révélatrice.

Le port du voile étant obligatoire, tout l'art, toute l'habileté des jeunes filles consiste à trouver un moyen de montrer, malgré tout, un maximum de leur chevelure. Afin de lutter contre l'inertie de ce carré de tissu, elles ont inventé, à l'aide de peignes et de barrettes, tout un système d'échafaudages, lequel crée une crinière surélevée, de préférence blonde, qu'elles laissent dépasser du foulard. Leurs yeux et leurs sourcils changent continuellement de teinte et de forme. Aujourd'hui, elles ont plutôt des yeux noirs (l'importateur de lentilles claires a dû faire faillite) et des sourcils tatoués en forme d'accent circonflexe. Leurs franges, dévalant de l'échafaudage, offrent un éventail de couleurs qui va du fuchsia au blond platine. Placées au

147

sommet de leur tête, des lunettes de soleil griffées dissimulent le prétendu foulard. Les ailes de leur nez, à force d'être affinées par le chirurgien, sont presque invisibles. Leur bouche, siliconée à outrance, s'avance plus loin que leur nez. Leurs oreilles arborent toutes des créoles et des récepteurs d'Ipod. Elles portent des corsaires stretch, des sandales à semelles compensées où se déploient des orteils aux ongles dessinés, des chaînes aux chevilles, et une veste, de deux tailles trop petite, qui cache à peine leurs fesses. Plus elles sont jeunes et belles, plus leurs vestes doivent être serrées et courtes, même si, habillées de la sorte, elles se font assez souvent arrêter.

Loin d'être un phénomène superficiel, la mode est ici une attitude politique. Ces filles sont presque toutes grandes et fines, à l'opposé de leurs mères, petites et grosses. Elles tiennent toutes à la main, une main aux ongles colorés, un faux Vuitton, un faux Gucci, un faux Prada et un téléphone portable, qui est indispensable. Certaines en ont deux, un dans chaque main. Leurs parfums asphyxient l'air. Trente ans de pouvoir islamique n'ont pas réussi à leur imposer son idéal féminin – une femme obscure, couverte d'un tchador noir et chaussée de godasses plates, qui réserve son éventuelle coquetterie pour l'union conjugale rituelle du jeudi soir.

En Occident, que voyons-nous des femmes iraniennes ? Ou bien cette image sombre, triste, rébarbative même, qui apparaît comme sa propre négation, et qui brûle sur commande, de temps à autre, quelque drapeau américain. Ou bien une riche botoxée au teint

148

luisant, en foulard Hermès, qui conduit elle-même sa Mercedes, ses clubs de golf sur la banquettre arrière.

Entre les deux, où est l'Iran ?

Depuis quelque temps, la jeunesse masculine, bien qu'à l'abri des épreuves et des emprisonnements, qui menacent toujours les femmes (une d'elles, âgée de seize ans, a été récemment pendue pour « adultère » alors qu'elle n'était pas mariée), a adopté l'esthétique féminine. Les garçons de Téhéran, du moins ceux qui fréquentent les *pâssâjs*, ont tous le nez opéré, les sourcils épilés, les ongles manucurés et les cheveux longs, gominés. Là aussi, on est loin de l'image du bon pratiquant.

Nous passons devant un *coffee shop* bondé de jeunes couples qui s'aiment sans être autorisés à s'embrasser, à se caresser, à se tenir par la main. Plus loin se trouve le café des lesbiennes, où les tables sont majoritairement occupées par des femmes. Là, j'aperçois, à la dérobée, une des clientes repousser rapidement le foulard de sa voisine et lui embrasser le lobe de l'oreille.

Je suis, comme toujours, vêtue d'un pantalon et d'une tunique large de chez Pleats, à l'abri des regards. Nous entrons, avec Dâvar, mon ami le traducteur, dans une boutique de maroquinerie de luxe, spécialisée dans la vente de contrefaçons. La vendeuse – les ailes de son nez sont si effacées qu'on ne voit plus que ses narines ; deux trous béants au centre de son visage – a des doigts interminables, blancs, ornés de faux anneaux Bulgari. Sur les étalages, à la différence d'autres boutiques plus chaotiques, ne sont exposés que quelques modèles de sacs (Vuitton, Gucci, Prada), de ceintures (Dolce Gabbana, Burberrys) et de lunettes (Dior et Chanel). Le sol est en marbre noir et le mobilier en cuir havane.

La vendeuse – à qui on a dû apprendre à regarder de haut la clientèle – s'est délimité un champ visuel dans lequel nous n'apparaissons pas. Autrement dit, elle ne nous voit pas. Tant mieux. J'en profite pour examiner les prix, savamment dissimulés dans les poches intérieures et cinq fois plus élevés qu'ailleurs. Je lui montre un sac à dos Vuitton et lui en demande le prix. Elle inhale une bouffée d'air (conditionné), ce qui a pour effet de creuser davantage les ailes de son nez, et daigne me répondre, dans un persan teinté d'accent américain :

— Deux cent cinquante mille *tomans*.

Lorsque je me risque à l'informer que dans la boutique d'en face le même sac est vendu pour cinquante mille *tomans*, elle m'exclut de nouveau de son champ visuel.

— La boutique d'en face s'approvisionne en Turquie et nous…, commence-t-elle.

Elle aspire une nouvelle bouffée d'air.

— Nous, en Italie, conclut-elle.

Puis, elle scrute rapidement ma tenue et, la jugeant sans doute indigne de sa boutique, et même de celle d'en face, qui se fournit chez les Turcs, elle ajoute :

— Descendez d'un étage et vous trouverez moins cher chez les fabricants iraniens.

Il est temps que je lui retourne une partie de son dédain. Avant de sortir, je traîne encore un peu, essayant des lunettes surdimensionnées, et je demande brusquement à Dâvar où en est sa traduction de *La Peau de chagrin*. Sans penser un seul instant qu'il s'agit d'un de mes stratagèmes, il me répond aussitôt :

— Je me suis arrêté à la phrase qui dit : « Mon amour veut des échelles de soie escaladées en silence, par une nuit d'hiver. »

Cette dernière phrase, prononcée en français, a pour effet de remettre, comme nous le disons aussi en persan, la vendeuse à sa place. Je pose les immenses lunettes sur son bureau, sans leur accorder la moindre importance, et je poursuis, toujours en français :

— Et qu'est-ce que tu vas traduire, Dâvar, quand tu auras fini *La Peau de chagrin* ?

Nous sortons. Je remercie la vendeuse du bout des lèvres, sans me retourner. À mon tour, qui parle le français, qui lis *La Peau de chagrin*, de l'évincer de mon panorama. Elle n'existe plus.

— *Le Médecin de campagne*, répond Dâvar, qui n'a rien remarqué de notre affrontement souterrain.

Nous entrons dans le magasin d'en face, celui qui se procure la marchandise contrefaite en Turquie. Le vendeur, ici, est chaleureux. Il appelle Dâvar *mohandess*, qui signifie « ingénieur ». Si mon ami portait une cravate, il l'aurait appelé *doctor*, car depuis la Révolution les seules personnes à conserver leur cravate sont les médecins. Aussi n'importe quel homme cravaté est-il désigné par le titre de *doctor*, même s'il est avocat, ou même sans emploi. *Mohandess* s'emploie pour ceux qui présentent un aspect soigné : pantalons en toile, polos Lacoste et lunettes Ray Ban. Dâvar, en effet, porte à peu de chose près cette tenue. En outre, il adopte une diction, une démarche et une posture pro-fessorales qui empêchent quiconque de le contredire.

Ici, comme partout ailleurs, trône le portrait enturbanné du Guide suprême. Une chaîne diffuse de la musique pop iranienne, enregistrée à Los Angeles. Des sacs, des chaussures, des ceintures et des porte-feuilles encombrent toutes les étagères. Sur une table basse sont disposés les catalogues de Vuitton et de Gucci. Je déniche le même sac à dos et je le montre à Dâvar. Il est à un tiers du prix, c'est vrai.

Subitement, quelques filles traversent la galerie en courant. La vendeuse d'en face, celle de la contre-façon fabriquée en Italie, baisse nerveusement les stores de son magasin. En un clin d'œil, notre ven-deur remplace les catalogues Vuitton par une pile de *Keyhân*, le quotidien conservateur, arrête la musique pop, allume la radio officielle et fait pivoter l'enseigne de Louis Vuitton, derrière laquelle il avait préalable-ment collé une photo de la Kaaba.

— C'est la patrouille des mœurs. Ils sont là. J'espère que ça se passera sans trop de dégâts.

Nous nous approchons de la vitrine.

— Asseyez-vous s'il vous plaît, me recommande-t-il.

J'obéis.

Je vois passer à toute allure des femmes, des gar-diennes de Révolution, voilées de noir de la tête aux pieds. Une d'elles s'enfonce dans la boutique où nous nous trouvons. Le vendeur la salue. Elle ne répond pas, inspecte du regard ma tenue et sort, sans un mot.

— Ça y est ! Elles viennent d'arrêter quatre filles, nous informe Dâvar qui se tient sur le pas de la porte.

Ces descentes, dans les centres commerciaux, dans les restaurants, dans les jardins publics et même dans les appartements, font partie du quotidien des Iraniens. Le pouvoir vise, avant tout, la jeunesse. Mais il n'est pas impossible que, lors d'un de ces contrôles, des personnes plus âgées se fassent également arrêter, notamment s'il s'agit de consommation d'alcool.

Depuis trente ans, c'est la minorité arménienne, la seule communauté (ambassades mises à part), autorisée à consommer de l'alcool en privé, qui fournit en spiritueux la plus grande partie de l'Iran. Chaque famille a son propre Arménien, et certains ont meilleure réputation que d'autres. Celui de ma tante livre à n'importe quelle heure, celui de Narguess est renommé pour sa vodka, celui de Dâvar apporte aussi quelquefois du sanglier, dont la chair est interdite car il s'agit d'un porc sauvage.

Depuis l'instauration de la République islamique, la consommation d'alcool est officiellement prohibée. Les gens, pourtant, continuent de boire. Une anecdote rapporte que, avant la Révolution, les Iraniens priaient à la maison et buvaient dehors, alors que, après la Révolution, ils se sont mis à boire chez eux et à prier dans les bureaux (pour afficher leur foi) et dans la rue, à l'occasion des grands rassemblements.

À part les Arméniens, dont les marchandises arrivent en contrebande dans les ports du sud de l'Iran, les ménagères de cinquante ans se sont mises à troquer leurs recettes de confitures et de *torshis* contre les procédés de fabrication de vin. Un jour, au bazar, je vis moi-même une femme acheter deux cents kilos de raisin. Ce n'était évidemment pas pour les manger en famille. Du coup, chaque foyer, ou presque, confectionne son propre vin. En ce qui concerne cette fabrication artisanale, je n'ai jamais su pourquoi, les francophones ont pris le dessus sur les autres. Les invités d'un architecte qui a, par exemple, fait ses études aux Beaux-Arts de Paris dégustent son vin comme s'il s'agissait d'un Château Cheval Blanc, tandis qu'ils méprisent celui d'un de ses collègues, simple diplômé d'une université texane. Parfois même ils le recrachent.

Inutile de dire que tout est mauvais. Dans cette course viticole, rares sont ceux qui possèdent de véritables bouteilles de vin. Prenez l'architecte de Paris, il a dû chiner auprès de tous les brocanteurs du quartier de Manoutchehri et de Djomeh Bâzâr un lot innombrable de bouteilles. Et pourtant, lorsqu'il apporte du vin à des amis, il n'omet jamais de demander qu'on lui restitue la bouteille, tout comme une grand-mère qui garde ses pots de confiture.

L'architecte du Texas, en revanche, sert son vin dans des carafes de sirop. Il m'est même arrivé de voir (jamais de boire) du vin servi dans des bouteilles de Coca. Une cousine francophone, qui s'est auto-proclamée connaisseuse en vin, commence par réclamer, à table, un grand verre à pied. Elle y verse du vin, dont au passage elle critique la couleur. Puis elle fait tourner lentement le verre entre ses doigts, y introduit son nez remodelé, humecte ses gencives, garde un moment le vin dans sa bouche, les yeux mi-clos, et finit par livrer, sous le regard fasciné des convives, son opinion, péremptoire et définitive. À chacun de ses voyages à Paris, elle ne manque jamais de retenir par cœur le millésime et la cote de quelques vins célèbres, afin de bercer son entourage (ceux qui servent leur vin dans des bouteilles de Coca), en leur citant une liste sans fin de noms enchanteurs et mythiques tels que romanée-conti 1929 ou mouton-rothschild 1982, ah si vous saviez...

Les Téhéranis affectionnent tout particulièrement la fréquentation des ambassades étrangères, car ils peuvent y boire à satiété. Le vin qu'on y sert n'est pas spécialement bon mais, de toute manière, il est supérieur aux productions locales – comme celle de l'architecte de Paris, par exemple. Au début de la Révolution islamique, les ambassades étrangères instaurèrent même des concours de dégustation. Les Français gagnaient régulièrement le concours du vin rouge, avec leur « château de neauphle » – clin d'œil à Neauphle-le-Château, ce village des Yvelines qui accueillit l'ayatollah Khomeyni en exil. Mais les Allemands, qui avaient probablement soudoyé les Italiens (c'était en tout cas ce que soupçonnait l'ambassadeur de France), arrivaient en tête pour le vin blanc.

L'ambassadeur de France lui-même me raconta que, après les vendanges, lorsque des tonnes de raisin étaient apportées à l'ambassade, tous les employés, hommes et femmes, sans aucune hiérarchie, se rendaient dans les caves pour fouler les grappes de leurs pieds nus. Un jour, en pleine affaire des otages américains, arrivèrent par surprise du Quai d'Orsay des inspecteurs chargés de contrôler le matériel de sécurité dans les ambassades dites à risque. Dans leur rapport, ils ne manquèrent pas de souligner l'état piteux du broyeur, cet appareil chargé de réduire en confettis tous les documents confidentiels. Personne, parmi le personnel de l'ambassade, n'avoua que la machine avait surtout servi à broyer les grappes, ce qui l'avait considérablement abîmée.

Autre prohibition : une seule mèche de cheveux teints, dépassant du foulard, peut conduire en prison. Les contrevenants ainsi arrêtés sont emmenés dans un *Comité*, un commissariat révolutionnaire où, après un interrogatoire mortifiant, ils (ou elles) restent deux à trois jours sans manger, sans dormir, et sans aucun contact avec l'extérieur. Ce délai écoulé, le commando « révolutionnaire » joint les parents ou la famille du détenu et commence par demander un titre de propriété comme caution. Il exige ensuite, selon la nature du délit (maquillage voyant, chevilles apparentes, cheveux perceptibles, haleine alcoolisée), une certaine somme d'argent. Ceux qui refusent de payer s'exposent alors à la flagellation. Une de mes amies, qui de toute sa vie n'a jamais accepté l'arbitraire, refusa un jour de verser l'amende. Elle reçut cent coups de fouet. Partie pour visiter une librairie, elle rentra à la maison, après deux jours d'absence, ses achats à la main, le dos en sang.

Le vendeur extrait de son tiroir une coupure de presse sur laquelle se trouve une photo du commandant des forces armées de Téhéran posant devant un tableau qui porte les inscriptions suivantes :

■ Rouge à lèvres criard ? ▶ Ne pas inciser ▷ *Retirer avec un Kleenex*

156

■ Maquillage choquant ? ▶ Ne pas verser d'acide ▷ *Verser de l'eau de rose*

■ Manteau raccourci ? ▶ *Offrez, gratuitement, un tchador*

■ Foulard minuscule ? ▶ Éviter de dire : « Soit tu couvres ta tête, soit on frappe ta tête » ▷ *Descendez le foulard afin de dissimuler les cheveux ou bien coupez-les avec délicatesse.*

— J'ai distribué ce journal à tous mes collègues, m'explique le vendeur, pour qu'ils le montrent aux gardiennes de Révolution au cas où elles aborderaient une de nos clientes.

Avant de sortir, je lui demande pourquoi, tout à l'heure, il m'a priée de m'asseoir.

— Votre façon de vous tenir debout a quelque chose de non islamique, me répond-il.

Je renonce à comprendre.

— Bon courage, lui dit Dâvar, avant de se tourner vers moi. D'après toi, quelle forme peut avoir le « béret oriental » que porte Fœdora dans *La Peau de chagrin* ?

— Je n'en sais rien. Pas celle d'un foulard, en tout cas.

— « La comtesse était étendue sur un divan, cite-t-il de mémoire, les pieds sur un coussin ; un béret oriental avait ajouté je ne sais quel piquant d'étrangeté à ses séductions. »

Tandis que j'essaie de réfléchir à la forme du béret, mon téléphone sonne. C'est ma tante.

— Hamid vient de rentrer, il a été libéré ce matin, m'annonce-t-elle en pleurant.

157

Une heure plus tard, Dâvar me dépose chez ma tante. Je suis accueillie par Masserat et Samirâ, que j'embrasse, puis par Hamid en personne, qui me serre la main en souriant. Ma fille, qui passe ses journées chez ma tante (en ce moment, je n'ai guère le temps de m'occuper d'elle), se jette dans mes bras. J'entre dans le salon où je vois le docteur Bashiri piétiner le dos de M. Sâbeti, étendu sur le sol, sous le regard « vert » de mon oncle.

Ma tante m'explique en riant un peu :

— Notre cher M. Sâbeti s'est cassé le dos en voulant installer Télé Sat sur le toit de l'immeuble C. On l'a traîné jusqu'ici. Mais heureusement le docteur est venu et il a réussi à le remettre debout.

Pour l'instant, M. Sâbeti est toujours couché par terre, sur le ventre.

— *Vây, vây ! Doctor djân*, aie pitié de moi, ne me fais pas trop mal, pense à ton *upgrade*.

— Encore quelques mouvements et j'ai fini, répond le docteur en écrasant, de son pied, les reins du technicien.

Le docteur Bashiri, qui est, comme moi, originaire du Mâzandarân, a la peau très blanche. Ma mère attribuait toujours la blancheur de la peau des Mâzandarânis au fait que les Arabes, repoussés par la rudesse de la chaîne Alborz, n'ont jamais pu conquérir cette province septentrionale de l'Iran et y faire souche. Le docteur Bashiri est actuellement dans la troisième phase de son amaigrissement. C'est dire qu'il a déjà réduit de trois fois la quantité d'aliments qu'il avalait avant son régime. Mais les privations qu'il s'impose ne l'empêchent pas de sourire et d'exposer des dents éclatantes.

Narguess m'appelle au téléphone.

— Je suis en bas, dit-elle. Je t'emmène au show du mobilier asiatique.

Deux minutes plus tard, Narguess est dans le salon. Cinq minutes plus tard, elle est assise par terre, à côté de M. Sâbeti, en train de se déchausser. Elle veut profiter de l'occasion pour montrer au docteur Bashiri son *hallus valgus*, son excroissance au niveau de la base du gros orteil, curiosité physiologique qui frappe un grand nombre d'Iraniennes.

— J'ai été opérée des deux pieds l'année dernière. Mais l'oignon du pied droit me fait terriblement mal, explique Narguess en levant son pied.

S'asseyant carrément sur le dos de M. Sâbeti, le docteur examine l'orteil de Narguess.

— *Vây, vây*, pitié, *doctor djân*, pitié, gémit le technicien écrasé.

— Ils vous ont opérée selon la technique autrichienne ? s'enquiert le docteur, sans tenir compte des plaintes de M. Sâbeti.

Narguess se lance alors dans des explications médicales confuses, et le docteur Bashiri se redresse, délivrant enfin sa victime. Ma tante invite tout le monde à manger. Hamid descend chercher des kebabs. Il revient une demi-heure plus tard avec un plateau couvert de brochettes d'agneau, de tomates grillées et de basilic. Sans nous en vanter, nous fêtons ainsi la libération de Hamid.

Avant de partir, le docteur Bashiri, qui vient de se brosser les dents (son haleine dégage une odeur de dentrifrice, et non de kebab et d'oignon), me prend à part. Je suppose qu'il veut s'entretenir avec moi à propos de Hamid. Je me trompe.

— Vous savez, me chuchote-t-il, pour Adidas, nous n'avons même pas besoin d'un contact dans le milieu du sport.

La main sur le dos et appuyé sur Hamid, M. Sâbeti s'en va lentement, en gémissant : « *Vây, vây.* »

— Il suffit, poursuit le docteur, de mettre Gérard Depardieu dans le coup.

— Qui ?

— Gérard Depardieu, répète le docteur Bashiri en affichant un sourire étincelant. Votre tante m'a dit que vous le connaissiez.

— Et alors ?

— J'ai lu dans un magazine de cinéma qu'il a investi à Cuba et dans certains pays de l'ex-Union soviétique. Alors, comme vous le connaissez, vous pouvez le mettre dans le coup.

Ma fille court vers la porte.

— Va-t'en, va-t'en ! dit-elle en français à M. Sâbeti, qui attend l'ascenseur.

Elle ne supporte pas sa présence car, pendant chaque opération d'*upgrade*, elle est privée de DVD ou de sa chaîne préférée.

Je gronde ma fille. Hamid la prend dans ses bras.

Du palier se font entendre les plaintes de M. Sâbeti, puis le claquement des portes de l'ascenseur qui emporte ses « *vây, vây* » dans une descente vers les profondeurs silencieuses. Pourtant, l'odeur de son eau de Cologne flotte encore dans le vestibule.

Samirâ me passe le téléphone. Cette fois, il s'agit, de la cousine qui veut elle aussi faire renouveler son passeport. Je l'avais oubliée.

— Tu l'as récupéré ? me demande-t-elle. Ton passeport, ça y est ? Tu l'as ?

— Non, il me faut attendre au moins une semaine.

— Alors, ton type n'est pas si efficace que ça.

— C'est ce que je te disais…

Au même moment, le docteur Bashiri me glisse un document.

— Tenez, c'est pour Gérard Depardieu. Il s'agit d'une étude du marché.

— Qu'est-ce qui est arrivé à Depardieu ? s'enquiert ma cousine, qui vient de saisir une bribe de la phrase du docteur.

— Rien, rien.

— Quelle dissimulatrice tu es ! D'abord tu ne donnes pas le nom de ton contact au Bureau des passeports et maintenant tu ne me tiens pas au courant de ce qui est arrivé à Gérard !

Je ne sais pas pourquoi tout à coup elle dit « Gérard ».

— Mon contact s'appelle le docteur Askarniâ, répliqué-je brusquement, et son téléphone est le 0912 3079660.

— C'est archi-confidentiel, naturellement, reprend le docteur Bashiri à voix basse. Pourriez-vous le remettre à Gérard Depardieu en main propre ? ajoute-t-il en agitant le document.

161

Ma cousine, qui a encore tout entendu, oublie aussitôt les coordonnées que je viens de lui donner pour son passeport.

— Qu'est-ce qui est confidentiel ? Gérard ? Il est à Téhéran ? questionne-t-elle.

Je réponds sans réfléchir :

— Non, il est à Cuba.

— Avec Carole ?

Narguess, qui passe par là, me demande :

— Tu as appelé Sattâr ?

— Sattâr est à Téhéran ? fait ma cousine, de plus en plus surprise.

Je n'en peux plus. Je promets à ma cousine de l'appeler le soir même, pour que nous parlions tranquillement de tout ça. Le docteur Bashiri me glisse alors, dans le creux de l'oreille, pour que Narguess ne nous entende pas :

— Si jamais Gérard Depardieu vient en Iran, dites-lui que je pourrai aussi m'occuper de son excès de poids. J'ai mis au point un régime amincissant qui marche à tous les coups.

Je lui promets d'amener Depardieu en Iran afin qu'il investisse dans les chaussures de sport et qu'il maigrisse un peu dans sa clinique. Je promets aussi à Narguess d'appeler Sattâr. Je sens que ma tension est au plus bas. Je passe dans la chambre de ma tante et je m'écroule sur son lit. Masserat m'apporte un sirop de menthe et le téléphone qui sonne, encore et encore. J'agite la main pour refuser de répondre.

— C'est monsieur, me dit-elle.

— Alors, ton passeport ? demande mon mari.

— Il faut attendre une semaine. Je te l'ai déjà dit.

— Mais deux jours ont passé. Ça serait donc dans cinq jours ?

— C'est ce qu'ils m'ont promis.

Quelques mots encore et il raccroche. Quand je regagne le salon, je vois Hamid assis par terre, occupé à coller de faux ongles argentés sur les doigts de Kiara, ma fille. Narguess est pressée. Si nous ne partons pas immédiatement pour le *show* du mobilier asiatique, nous en aurons pour deux heures d'embouteillage. J'incite ma tante à nous accompagner. Elle est restée chez elle, enfermée, depuis l'arrestation de Hamid. Sortir ? Oui, pourquoi pas ?

Un peu plus tard, nous partons toutes les trois sous les protestations de ma fille, qui s'estime une fois de plus abandonnée.

Le *show* est aménagé dans une maison des quartiers nord de Téhéran, flanquée de jardins suspendus. Chaque étage, avec sa terrasse, rappelle un des pays de l'Asie. Ainsi, le premier étage est décoré de meubles indiens, le deuxième est indonésien, le troisième chinois et le quatrième japonais. À chaque niveau, la musique diffusée et les mets proposés se réfèrent au pays d'où vient l'ameublement. Vêtues des costumes traditionnels des pays, des hôtesses souriantes, toutes iraniennes, indiquent aux visiteurs le nom des musiciens et la composition du plat.

Dans ces cas-là, ma tante, qui ne fréquente que les enfants de Mohtaram, se sent comme projetée dans un autre monde. Elle le répète souvent : pour elle le monde normal, c'est celui des petits soucis quotidiens, un monde où les époux sont valides et actifs mais irascibles et exigeants, accessoirement infidèles, où les enfants, déjà grands, se posent mille problèmes pour les vacances de leurs propres enfants, adolescents ingrats et capricieux, soumis à toutes les modes et souvent drogués. Pour elle, c'est ce monde-là, qu'elle côtoie, qui lui paraît l'harmonie même, presque le bonheur, mais dans lequel, faute d'enfants, elle n'est pas admise. C'est la vie de tous les jours, celle dont tout le monde se plaint, qui lui semble lumineuse, enviable.

Elle me raconte souvent qu'elle n'a pas arrêté d'offrir des cadeaux aux enfants de ses amies, pour leurs anniversaires, puis pour leur mariage, ensuite pour leur installation dans leur première maison, ensuite pour la naissance de leurs enfants, les anniversaires de cette nouvelle génération, leurs mariages, la naissance de la troisième génération et ainsi de suite... sans que jamais, elle, qui n'a pas d'enfants, ne reçoive des autres, en cinquante années de fréquentation, le moindre présent. Dans sa vie, jamais d'occasion de fête.

Nous n'avons aucun regard pour le mobilier asiatique. Pourtant, tout Téhéran est là. Les femmes ont retiré leurs foulards. Quelques-unes, toutefois, comme ma tante, gardent le leur. Elles ne sont pas allées chez le coiffeur depuis quelque temps et préfèrent cacher leurs cheveux.

— Regarde celle-là ! s'exclame ma tante en me désignant une vieille femme, plutôt grande, droite et élégante. Elle était la plus belle femme de notre jeu-

nesse. Les gens allaient au restaurant de l'hôtel Darband rien que pour la regarder.

La dame en question se dirige vers moi, me salue
et demande des nouvelles de mon mari.

— Il y a longtemps, ajoute-t-elle, j'ai visité votre
maison de Pigalle, accompagnée de Klaus Kinski.
Vous savez, j'adore le travail de votre mari.

Le fait que la dame élégante soit venue vers nous
pour encenser mon époux comble de joie ma tante.

— Tu aurais pu me le dire, pour aujourd'hui, je
serais allée chez le coiffeur, me reproche-t-elle
gentiment.

Nous montons au premier étage, celui qui est
consacré à l'Inde. Ici, on ne parle que de vacances à
Goa ou de cures de médecine ayurvédique dans le
Kerala ou le Tamil Nadu. Une fille, que je connais
depuis le lycée, est en train d'expliquer à des néo-
phytes ce que signifient les mots sanscrits *dharma,
artha, kama, mokhsa*. Lorsqu'elle m'aperçoit (je suis
tout de même l'épouse de celui qui a adapté le *Mahab-
harata* pour Peter Brook), elle interrompt sa description sur ces « quatre objectifs de la vie humaine » et
déclare, avec une humilité soudaine dans la voix :

— Voici la spécialiste qui arrive.

Je refuse de parler de *moksha*. J'ai juste envie
d'écouter le sitar de Ravi Shankar et de goûter tranquillement au *masala dosa* que je vois là.

À l'étage indonésien l'hôtesse, habillée d'un batik
multicolore et coiffée d'un ruban en perles et corail,
précise que la musique que nous entendons est le *Royal
Singing*, chanté par Sa Majesté Norodom Sihanouk, et
que le plat est appelé le *pepesan*. Je ne me risque pas à

préciser que Sihanouk est le roi du Cambodge et non de l'Indonésie mais je l'interroge, quand même, sur la composition du *pepesan*. À l'instar de la vendeuse de contrefaçons italiennes, elle aspire, de son nez opéré, une étroite bouffée d'air et me répond :

— C'est une cuisson à la vapeur dans un emballage de feuille de bananier.

J'évite de m'attarder trop longuement au troisième étage où la Chine est à l'honneur. J'ai un doctorat de chinois, mais, comme je m'exprime assez mal dans cette langue (je n'ai jamais vraiment vécu en Chine), j'évite qu'on me présente à l'attaché culturel, qui ne parle pas un mot de persan, et qui a attendu toute la soirée pour enfin pouvoir s'exprimer dans sa langue. Je réussis à arracher, non sans mal, ma tante et Narguess aux nouilles sautées et aux explications de l'hôtesse concernant le luth pipa et la musicienne Liu Fang.

Au dernier étage, l'hôtesse, affublée d'un kimono, maquillée en blanc, les cheveux tirés en chignon, nous propose des sashimis. Ma tante se sert avec les doigts puis elle saisit un plat et le remplit de poisson cru.

— Trouve un moyen de les emporter pour ton oncle, me glisse-t-elle à l'oreille.

Munie d'une serviette décorée de montagnes et de rivières japonaises, j'empoigne rapidement les sashimis. Mon cœur bat. J'espère ne pas avoir été démasquée par l'amie de Klaus Kinski, qui justement s'avance vers moi.

— C'est Nobuko Matsumiya qui chante. Je l'ai découverte à la Maison de Radio-France à Paris. Vous la connaissez certainement, j'imagine ?

Je tiens les sashimis dérobés dans ma main. Il faut que je trouve un moyen de les glisser dans mon sac.

— Oui, oui, je la connais, bien sûr, dis-je en m'éloignant.

Un nouveau mensonge.

Je rejoins la foule qui entoure Narguess. Certaines personnes lui demandent des nouvelles de sa mère, d'autres l'invitent en Toscane, d'autres encore l'interrogent pour connaître le nom du meilleur chirurgien pour enlever les bosses des pieds.

Une femme s'avance et lui tend un échantillon de tissu.

— À ton avis, où est-ce que je pourrais trouver ça ? lui demande-t-elle.

Narguess, qui sait toujours tout, renseigne très aimablement la dame avant de se tourner vers moi.

— Va appeler Sattâr, me suggère-t-elle.

— *Badan, badan.*

Pour une fois ma petite voix approuve Narguess. Je ne devrais pas passer ma journée dans les *pâssâjs* et les *shows* sans penser à remettre la pression sur Sattâr. Je me promets de m'arrêter au retour chez les deux photographes pour leur demander de l'appeler. Après tout, c'est grâce à eux que je le connais.

Nous descendons. Mais avant de quitter le *show*, je vais saluer le mari de notre hôte, la « décoratrice ».

— Tout cela, c'est pour éviter à ma femme de s'ennuyer, m'explique celui-ci en montrant l'édifice aux jardins suspendus, le mobilier et les hôtesses aux tenues ethniques.

Sa femme, qui n'a fait aucune étude d'architecture intérieure, s'est du jour au lendemain improvisée décoratrice. Comme bon nombre d'épouses dont les maris gagnent de l'argent à foison, elle ne faisait strictement rien et s'en contentait, jusqu'à ce que quelques-unes de ses amies se mettent à redécorer leur propre maison en s'inspirant des photos de *Elle Déco*, *Maison et Jardins* et autres demeures sur papier glacé.

Elle fit de même. Encouragée par un numéro spécial sur les « fontaines d'intérieur », elle en installa une dans chaque pièce de leur demeure et se proclama décoratrice. Bientôt des amies moins douées, ou moins téméraires, vinrent la consulter pour l'emplacement d'un lit, le choix d'un tissu ; ce qui, tout naturellement, la poussa à ouvrir son propre *showroom*. Elle a maintenant pour clients les propriétaires de centaines d'appartements récents qui noircissent, jour après jour, l'horizon de Téhéran. Son carnet de commandes est complet jusqu'en 2009. Pour livrer une balançoire mongole, elle fait parfois patienter ses clients pendant trois ans.

C'est elle qui accueille les invités devant l'entrée, et c'est elle qui les salue quand ils se retirent. Elle nous embrasse toutes les trois. Nous la félicitons pour la réussite de son *show* et notamment pour la qualité de ses sashimis (dont certains se cachent au fond de mon sac).

Narguess me dépose chez moi et raccompagne également ma tante. Qu'elle est agréable la sensation de retrouver mon appartement sans avoir à subir les salamalecs de Mohtaram. Une demi-heure de solitude et de silence, quel bienfait. Je vais, je viens, je m'occupe un peu de moi-même.

Un peu plus tard, ma tante m'expédie Mohtaram et ma fille, qui arrive, comme chaque soir ou presque, endormie. Lorsque je la prends dans mon lit, je sens l'odeur de l'eau de Cologne de Hamid.

Je me tourne sur le côté, en me pinçant le nez et, assez vite je crois, je m'endors.

Jeudi

Ma fille me réveille en criant :

— Maman, maman ! Piwi ça marche pas !

Avant même le petit déjeuner, ma journée débute par une convocation urgente de M. Sâbeti, afin qu'il *upgrade* les chaînes pour enfants. Comme il n'est pas chez lui, je lui laisse un message. Après quoi j'appelle ma tante ; elle va venir chercher ma fille pour l'emmener au Wonder Land de Téhéran, endroit véritablement féérique où une fillette de trois ou quatre ans peut dépenser, en un seul jour, le salaire mensuel d'un employé.

Libérée du souci de distraire Kiara, je décide d'accompagner Dâvar dans le quartier des antiquaires, avenue Manoutchehri. Je monte dans sa voiture, une Peugeot iranienne, où mon ami n'écoute que de la variété française, de Chimène Badi à Barbara.

C'est aujourd'hui jeudi et par conséquent, comme le veut la loi, nous sommes autorisés à entrer, avec notre propre véhicule, dans Téhéran intra-muros. Les commerces de l'avenue Manoutchehri sont, le plus souvent, tenus par des juifs. Dans une des brocantes, choisie au hasard, j'examine une vitrine où sont exposés, comme un peu partout, des plateaux, des samovars, des verres à thé, des colliers, des bagues, des manteaux, des médailles, des manuscrits et des photos anciennes. Dâvar se penche pour en tirer une pile de documents poussiéreux d'où il sélectionne, du bout des doigts, une lithographie jaunâtre, datant probablement du XIXᵉ siècle européen.

— Observe bien, me dit-il. Regarde cette femme, là. Tu ne trouves pas qu'elle ressemble à Foedora, avec son béret oriental ?

Je vois en effet une femme coiffée d'un large bandeau noué derrière la tête. Nonchalamment appuyée sur un coussin à pompons, vêtue d'un ample pantalon de soie, chaussée de socques à talons courts, elle tient son menton dans sa main droite. Son décolleté dévoile la naissance de sa poitrine et sa ceinture souligne la finesse de sa taille. Une image occidentale de la femme d'Orient, oisive, sensuelle, disponible, telle qu'on la rêvait avant de la connaître.

Je demande au marchand si par hasard il n'aurait pas de cartes à jouer qadjars du XIXᵉ iranien, décorées de femmes en tenue légère.

En Iran, les commerçants renseignent difficilement leurs clients. S'ils ne vendent rien de la journée (*surtout* s'ils ne vendent rien), par le simple jeu de l'augmentation galopante des prix, ils se retrouvent le soir, de toute façon, bénéficiaires. La valeur de leur stock s'est accrue d'elle-même tandis que passait la journée. Aussi ont-ils perdu le goût du commerce. Une dépression chronique et irrémédiable semble s'être abattue sur eux, les condamnant, jusqu'à leur guérison, à végéter – à se lever le matin, à ouvrir leur boutique, à préparer le thé et à attendre ainsi, paisiblement, la lente venue du soir, sans accorder la moindre considération à leur clientèle.

Le marchand chez qui nous nous trouvons se sert un verre de thé et nous en propose au lieu de me répondre. Je répète ma question.

— Tout est là, lâche-t-il sans aucune indication particulière.

Dâvar, qui tient encore la lithographie du XIXᵉ siècle à la main, poursuit sa réflexion :

— En fait hier, dans ma citation de Balzac, j'ai oublié une phrase très importante, en ce qui concerne le béret oriental.

Il pose la lithographie sur le bureau désordonné du marchand, secoue ses mains pour les dépoussiérer (comme si, pour citer Balzac, il devait se purifier) et récite, en français :

— « Un béret oriental, coiffure que les peintres attribuent aux premiers Hébreux »… C'est ce détail-là que j'avais oublié.

— D'où Balzac tenait-il ça ?

Dâvar n'en sait rien. Quels peintres ? Quels Hébreux ? Mystère.

Le marchand ne se montre nullement impressionné par notre français. Sa mélancolie, ou plutôt son apathie, réclament à coup sûr d'autres remèdes. Comme chaque jour, le temps lui pèse. Au-dessus de lui trône une large calligraphie en persan où on lit : « Cela aussi passera… »

Il est plus de 13 heures et j'ai faim. Dâvar me conduit à un *ghahveh khâneh*, littéralement une

173

« maison de café », sorte d'établissement populaire où, dit-il, les directeurs de casting sélectionnent leurs figurants.

Nous entrons. Malgré le brouillard de fumée des narguilés, je me rends vite compte que je suis la seule femme. Nous prenons place et, tandis que nous attendons d'être servis, j'observe les hommes, autour de moi. J'y vois un *naghâl*, un conteur ; un vieillard aux longs cheveux blancs, au visage osseux et aux doigts filiformes braqués sur un exemplaire du *Shâh-nâmeh*, *Le Livre des rois*, épopée mythique de la Perse ancienne. J'aperçois aussi un trentenaire souriant à la moustache épaisse, vêtu d'une chemise à manches courtes (pour les hommes, porter une chemise à manches courtes, sans être interdit, est déconseillé) qui laisse dépasser les poils noirs de son torse. Je remarque encore une bande de jeunes, réunis autour d'un narguilé, les mains maculées de cambouis. Et, surprise, je repère le chauffeur d'*âjâns*, celui dont la dernière phalange manque à l'index.

À peine m'aperçoit-il qu'il sursaute, se lève et s'incline, de sa place, en signe de soumission. Je lui rends son salut.

— Tu connais ces gens-là ? s'enquiert Dâvar, perplexe.

Comme le chauffeur s'avance, je fais les présentations :

— Mon ami, M. Mâlek, grand écrivain et…

— Votre serviteur Gheysar, continue le chauffeur.

Je lui propose de s'asseoir à notre table. Il ne dit pas non.

— Vous savez que Gheysar est l'équivalent de Kaiser en allemand, lui explique Dâvar en lui serrant la main, de César en français, et de Khosrow en persan ? Ce qui signifie « empereur » ?

Le vieux conteur, qui a entendu prononcer le mot « empereur », s'approche de nous et se met à réciter de mémoire le début du *Livre des rois*[1], que tout Iranien se doit de connaître :

— « Le premier roi fut Keyoumars, il enseigna aux hommes à se vêtir et à se nourrir. Houshang apprit à tirer les métaux de la pierre, maîtrisa le feu et inventa l'art du forgeron. Tahmouras instruisit les hommes dans l'art de filer et de tisser les tapis. »

— Vous êtes notre *ostâd*, notre maître, chuchote Gheysar à l'oreille de Dâvar avant de s'asseoir.

Le conteur à barbe blanche me regarde droit dans les yeux. Il n'a cure d'aucune interdiction islamique, sa bravoure vient du passé glorieux de l'Iran, du *Livre des rois* qu'il porte en lui comme un trésor. Sans doute le connaît-il par cœur, de la première à la dernière ligne. Admiré par toute l'assemblée, qui a fait silence, il psalmodie des vers de Ferdowsi :

— « Tahmouras domestiqua les animaux. Il terrassa les *divs* et chevaucha Ahriman comme un coursier. Djamshid fit fabriquer des armes, tisser des étoffes, construire des maisons et des vaisseaux. »

À présent, le conteur se déplace de table en table, en poursuivant :

---

1. FERDOWSI, *Le Livre des rois*, traduit du persan par Jules Mohl, Paris, Sindbad, 1979, p. 33.

— « Il découvrit les pierres précieuses, les parfums et les remèdes. Il organisa la société en quatre classes et fit régner la paix. Mais, après un long règne glorieux, il conçut de l'orgueil et la grâce divine se retira de lui. L'empire sombra dans l'anarchie, et les guerriers de l'Iran firent appel à un roi arabe, Zahhâk, qui s'empara du trône, mit en fuite Djamshid et finalement le fit périr en le sciant en deux. »

— *Que son âme repose en paix*, ajoute doucement Gheysar, au milieu des murmures, venus des tables voisines.

Le conteur s'éloigne de nous et continue :

— « Zahhâk était une créature d'Éblis, le démon… »

Nous ne l'entendons presque plus.

— Je ne veux pas vous déranger, madame, reprend le chauffeur Gheysar, mais si votre problème de passeport n'est pas encore réglé, j'ai ici un ami qui pourra certainement vous aider. Il connaît toute la police.

Il désigne le trentenaire moustachu à manches courtes.

Voyant qu'on l'observe, l'homme en question fait mine de se lever.

— Un jour, poursuit Gheysar, engagé comme figurant dans un film policier, alors qu'il portait l'uniforme d'un sergent, il quitta le plateau pour s'acheter des cigarettes. Passé le coin de la rue, il oublia de saluer de vrais officiers, sur leurs motos, qui tout aussitôt l'arrêtèrent.

Un torchon rouge et noir sur l'épaule, un garçon édenté, probablement opiomane, nous apporte à chacun du pain parsemé de graines de pavot, une assiette d'oignons et de basilic, un pilon en bois et deux bols, l'un rempli d'*âbgousht*, c'est-à-dire de pot au feu, et l'autre vide.

Comme je me sens incapable de mélanger les ingrédients d'*âbgousht* selon les règles de l'art, Gheysar se charge, pour moi, de cette tâche. Pour ce faire, il verse la totalité du jus dans le bol vide et retire, de l'autre, la graisse de queue d'agneau.

— Je ne pense pas que madame affectionne ça, dit-il à Dâvar.

Puis il prend le pilon et écrase, dans le bol en céramique, la viande, les haricots rouges et les pois chiches. Il coupe le pain en petits morceaux et l'ajoute à la soupe. Puis il saisit l'oignon et l'aplatit d'un seul coup de poing.

— *Befarmâyin, noush-e djân.* Servez-vous, que votre âme le déguste en douceur.

Comme je dédaigne l'oignon, Gheysar le remarque et me dit en souriant :

— Pour la graisse, j'ai marqué un point, mais pour l'oignon, je me suis fait avoir, je me suis trompé. Et pourtant je l'avais écrasé pour l'adoucir.

Nous commençons à manger. Gheysar reprend (je m'y attendais) :

— Alors, votre passeport ?

Cela me rappelle les questions insistantes de mon mari au téléphone. Ce passeport est devenu comme un pivot. Ma vie tourne autour de lui.

— Toujours rien.

Le conteur est de nouveau près de nous, à deux mètres de notre table. Par respect pour le grand poème, nous nous taisons.

— « Le monde était soumis à la tyrannie, le mal régnait. Mais un vengeur devait venir en la personne de Fereydoun, fils d'une victime de Zahhâk, qui grandissait en secret dans la montagne. »

Le vieil homme montre la direction d'Alborz, la montagne qui entoure Téhéran. Tous suivent son geste du regard.

— « Un jour, un forgeron, Kâveh, dont les seize fils avaient été immolés par le roi, rejoignit Fereydoun, souleva le peuple, prit pour étendard son tablier de forgeron, battit l'armée de Zahhâk et le fit prisonnier dans une crevasse du mont Damâvand. »

— Où se trouve Kâveh le forgeron ? Où se trouve-t-il ? s'écrie un jeune aux mains tachées de cambouis, avant de claquer la porte du *ghahveh khâneh* et de s'en aller.

Pendant quelques secondes, le conteur se tait. Oui, où se trouve-t-il, le libérateur ? Chacun se le demande sans doute.

Gheysar fait signe à l'acteur aux manches courtes de venir nous rejoindre.

— À ton service, dit celui-ci en s'asseyant avec nous.

Le garçon débarrasse les bols d'*âbgousht* et les remplace aussitôt par du thé, servi dans des verres à « taille fine ».

— *Âghâ* Mahmoud a de très bons contacts dans la police, dit Gheysar en désignant l'apprenti comédien.

178

— Et je suis à votre service. Je vous écoute.

Brièvement, je lui explique que j'ai déposé une demande de renouvellement de passeport au bureau de Yâft Âbâd et que j'attends avec impatience une réponse.

— Yâft Âbâd ? me demande-t-il.

— Oui, Yâft Âbâd.

— Mais à Yâft Âbâd il n'y a que nos « enfants » !

Par « enfants », *bar-o batcheh hâ*, Mahmoud entend ses copains, ses « potes ». Je me réjouis à l'idée d'avoir trouvé un nouvel appui en la personne de cet acteur de fortune, au cas où le sosie (mais en plus petit) du chanteur Sattâr échouerait.

Dâvar est pressé. Il a rendez-vous avec son éditeur. Nous nous levons. *Âghâ* Mahmoud me tend sa carte de visite.

— Je suis là pour vous servir, répète-t-il. Sur la carte, il y a tout : mon portable, mon fixe, mon mail. N'hésitez pas.

Dâvar veut payer. Il en est aussitôt empêché par Gheysar, le chauffeur. Le *târof* ordinaire s'engage, et il pourrait s'éterniser. Je m'avance et je déclare d'une voix ferme qu'il faut m'obéir.

De l'autre bout de la salle, le conteur qui m'a entendue me désigne de la main en récitant un autre passage du *Livre des rois* :

— « Gordâfarid était une femme pareille à un brave cavalier. Personne n'avait jamais vu un homme combattre comme elle. Elle se présenta devant toute l'armée telle un homme de guerre et poussa un cri de tonnerre, en demandant : Où sont les braves et les

179

guerriers ? Qui veut, pareil à un crocodile armé de courage, s'essayer à combattre contre moi ? »

J'attends que le conteur finisse. Je m'incline devant lui en croisant les bras sur ma poitrine. Je paye. Ni Dâvar ni Gheysar n'osent me contrarier.

Gheysar nous accompagne jusqu'à la voiture de Dâvar et s'immobilise sur le trottoir jusqu'à notre départ.

— Dans *La Peau de chagrin*, il y a un passage qui vient tout de suite après la description de Foedora. Balzac dit : « Sa figure était empreinte d'un charme fugitif, qui semblait prouver que nous sommes à chaque instant des êtres nouveaux, uniques, sans aucune similitude avec le *nous* de l'avenir et le *nous* du passé. »

Je compare le *nous* d'hier, le *pepesan*, l'octogénaire qui se vantait d'avoir découvert une chanteuse japonaise à la Maison de la Radio, et le *nous* d'aujourd'hui, tanguant, dans une gargote, entre l'*âbgousht* et *Le Livre des rois*.

J'écoute Dâvar tout en examinant la carte de visite d'*âghâ* Mahmoud. Sa propre photo, qui y figure en bonne place, le montre avec un oiseau bleu sur l'épaule droite et un oiseau jaune sur l'épaule gauche. Au-dessus de sa tête est inscrit en lettres rouges : « Oisellerie de Mahmoud ». À sa droite, en caractères bleus : « CD de canari, CD de dressage de perroquet » ; et sur la gauche, en caractères jaunes : « Nous guérissons toutes les maladies des volatiles. »

Au bas de sa chemise sont inscrits le numéro de son portable ainsi que le numéro et l'adresse et de son magasin : « Place Abouzar (anciennement Fallâh), après la mosquée Abouzar, avenue Kolâhdouz (anciennement Djafari), numéro 71. »

Je range la carte dans mon sac, tout en réalisant que *âghâ* Mahmoud, qui n'a que trente ans, a tenu à fournir (comme toute la population iranienne), les anciens noms des rues, qui remontent à un temps où il n'était pas encore né.

Ma cousine m'appelle sur mon portable :

— Dis-moi, j'ai essayé toute la journée de joindre ton docteur, sans résultat. Ça sonne comme s'il avait définitivement éteint son portable.

Je m'en veux de n'avoir même pas tenté de l'appeler une seule fois, comme je le devais. Que vais-je dire à Narguess ?

Ma cousine vérifie avec moi les coordonnées du docteur, avant de raccrocher avec une légère suspicion dans la voix. Peut-être me soupçonne-t-elle de lui avoir communiqué un faux numéro.

Sans perdre de temps, j'appelle Sattâr, alias le docteur Askarniâ. La sonnerie paraît, en effet, être celle d'un appareil éteint. J'insiste malgré moi. J'insiste, ne serait-ce que pour pouvoir déclarer à Narguess qu'il n'a répondu à aucun appel.

Dois-je m'inquiéter ? Je ne peux rien dire.

Trois minutes plus tard, nous passons devant l'atelier de photographie Ecbâtâne. Hassan et Morâd sont appuyés contre la porte. Je n'ai qu'un mot à dire pour que Dâvar s'arrête afin que je leur demande des nouvelles de Sattâr. Mais je n'en fais rien, je ne sais pas pourquoi. J'agite la main dans leur direction et Dâvar me dépose devant mon immeuble.

J'appelle mon mari. Nous lui manquons, me dit-il, ma fille et moi. Il se fait du souci pour mon passeport et il me suggère de faire quand même une réservation pour le vol du mardi suivant, au cas où.

Il a bien calculé. Étant donné que mon dossier a été déposé le lundi et que le colonel Âzardel m'a promis un passeport tout neuf après une semaine d'attente, j'aurai, par conséquent, si ce dernier tient sa promesse, le temps de prendre l'avion du mardi.

— Je vous attends toutes les deux mardi. Et, s'il te plaît, tâche de ne pas faire trop traîner cette histoire de passeport à laquelle je ne comprends vraiment rien. Ah, une dernière chose : n'oublie pas d'acheter du caviar, si tu peux.

J'appelle aussitôt mes fournisseurs : deux frères qui font de la contrebande et qui travaillent au porte à porte. Une heure plus tard ils arrivent, costumes noirs et chapeaux noirs. Ils sont petits, un peu voûtés, un peu chauves. Le premier ressemble au professeur Tournesol, l'autre est imberbe. Ils sont très polis, presque obséquieux et parlent à voix basse, comme si quelqu'un pouvait les écouter. Leurs gestes sont parfaitement coordonnés. Le premier ouvre son attaché-case, le second dévisse une boîte. Le premier produit une petite cuillère, le second la remplit. Je dois goûter, puis les deux hommes attendent mon verdict, avant de passer à une autre boîte.

L'opération se répète jusqu'à ce que j'accepte le contenu d'une des boîtes. L'un m'interroge sur la quantité que je désire, l'autre calcule le montant. Le premier entoure les boîtes avec un ruban adhésif en plastique rouge, le second les couvre d'aluminium. Le premier ferme son attaché-case, le second compte les billets. À la fin (l'affaire n'a duré que dix ou quinze minutes) les deux hommes me saluent et disparaissent en même temps.

Je viens de payer quatre cent mille *tomans* pour un kilo de bon caviar, alors qu'il se vend, officiellement, à un million de *tomans* dans les magasins de Téhéran et trois fois plus cher à l'étranger. J'essaie d'esquiver, d'éliminer d'avance l'angoisse qui se déclenchera à la veille de mon départ, alors que j'aurai à cacher, dans mes chaussettes et mes baskets, la précieuse marchandise achetée en fraude. Si je parviens à échapper au contrôle à l'aéroport de Téhéran, il me faudra de nouveau affronter la police française et répondre à la toujours embarrassante question :

— Vous venez d'Iran, avez-vous du caviar ?

Le visiophone sonne.

— J'ai laissé monter M. Sâbeti, prévient le gardien.

M. *upgrade* entre un instant plus tard. Je sais que je devrai lui faire du café et, comme toujours dans ces cas-là, Mohtaram est absente.

— Quand vous m'appelez au téléphone, me dit-il, comme toujours trop parfumé et impeccablement rasé, même quand vous me laissez un message, je sens l'arôme de votre café. Vous m'avez rendu accro à ce café-là, je vous assure. J'ai beau faire le tour de Téhéran, aucun magasin ne me fournit l'équivalent du vôtre.

Je me dis, en lui préparant son café, que s'il arrive à *upgrader* Piwi, je lui offrirai une autre boîte de mon incomparable café. Cette fois-ci, ce n'est pas ma petite voix, mais bien celle de Narguess que j'entends, me reprochant de gaspiller mon argent et de gâter dangereusement la classe ouvrière.

M. Sâbeti, qui paraît remis de ses douleurs, se rend dans la bibliothèque et commence sa fameuse opération.

— Vous devriez faire attention, me dit-il. Tous les gens de l'immeuble ont descendu leurs paraboles. Il n'y a que vous et la dame du dix-neuvième qui persistiez à les garder.

Je m'imagine qu'au dix-neuvième étage j'ai pour voisine Gordâfarid la vaillante, l'héroïne du *Livre des rois*. M. Sâbeti règle rapidement les chaînes tout en se plaignant de la mauvaise réception, due au brouillage incessant qu'effectuent les autorités. Piwi est *upgradé*, ça y est. Lorsque je sens s'approcher le moment du paiement, je me laisse guider par les recommandations de Narguess :

— Ne lui demande pas combien tu lui dois. Tu l'as réglé et gratifié, avant-hier, pour qu'il installe des chaînes que, de toute façon, on ne peut pas voir.

J'offre une tasse de café à M. Sâbeti. Il le déguste et me dit :

— *Bah, bah*, qu'il est bon ce café, j'espère en boire au mariage de votre fille.

D'une autre pièce, j'appelle Narguess, pour lui annoncer fièrement que, en dépit de ma persévérance et de mon désir, je n'ai pas pu joindre Sattâr et que je n'ai pas réglé Sâbeti.

— Appelle les photographes ! m'ordonne-t-elle sans tenir aucun compte de mes exploits.

— Je n'ai pas leur numéro.

— Descends et va vite les voir. Demain c'est vendredi et tu ne pourras contacter personne.

— Le colonel m'avait dit d'attendre une semaine. On a encore le temps.

— « Je vous appellerai dans une semaine » signifie dans notre pays « appelez-moi dès cet après-midi ». Tu n'as pas encore appris ça ?

— D'accord, d'accord. Je descends et je vais les voir.

— Et n'oublie pas de leur parler des chaises ! C'est inadmissible de demander quatre-vingt mille *tomans* pour un galon qui se décolle quand on souffle dessus.

M. Sâbeti est sur le point de sortir mais je lui demande de m'attendre. Il me propose de me déposer. Je ne sais pas pourquoi je l'informe que je me rends, juste en bas de l'immeuble, à l'atelier des photographes.

— À l'atelier Ecbâtâne ?

— Oui.

— Vous ne devriez pas y aller seule, madame. Ces gens-là ne sont pas dignes de confiance.

— Qu'est-ce qui vous fait dire ça ?

— S'introduire chez vous sous prétexte de vous livrer des chaises, je ne sais pas comment ça s'appelle.

Je tente en vain de le rassurer. Il tient absolument à m'accompagner. C'est donc avec lui que je franchis, quelques minutes plus tard, le seuil de l'atelier Ecbâtâne.

185

— *Befarmâyin*, prenez une chaise, me propose Hassan.

Je m'assieds tandis que M. Sâbeti reste debout derrière moi. J'explique aux photographes que le docteur Askarniâ est injoignable, que son téléphone semble éteint, ou hors d'usage, et que je suis ici dans l'espoir de trouver une solution.

— Mettre la main sur le docteur, quelle affaire ! s'écrie Hassan.

Passant une fois de plus ses mains dans les cheveux, Morâd intervient :

— Ne vous inquiétez pas, je sais où il habite, j'irai moi-même chez lui, ce soir, et je vous tiendrai immédiatement au courant.

M. Sâbeti, qui ne sait rien de tout cela, se penche vers moi.

— Voulez-vous que j'y aille moi aussi ? me propose-t-il.

— Mais non, mais non, fais-je en me reprochant déjà de lui avoir offert une boîte de café.

Un homme entre dans l'atelier. Morâd incline sa tête et dit humblement :

— Nous regrettons, mais c'est fermé.

Le client jette un coup d'œil vers moi, assise, ainsi qu'à M. Sâbeti, debout derrière ma chaise. Il hausse les épaules et s'en va sans un mot. Je pense que les photographes viennent de perdre entre cinq et dix mille *tomans* et me dis que jamais je ne les embêterai, ni ne les critiquerai, pour les défaillances de leur galon.

Je me lève, quand soudain M. Sâbeti demande à Morâd :

— *Aziz*, cher, quel est le numéro de ton portable ?

Je vois que M. Sâbeti vit dans le même pays que Narguess. Ils connaissent le même langage, quand « je vous tiendrai immédiatement au courant » signifie « surtout ne me lâchez pas d'une semelle, appelez-moi toutes les demi-heures ».

Nous sortons, munis du numéro de téléphone de Morâd. M. Sâbeti s'en va, suivi d'un mauvais œil par les deux photographes. Sur le pas de la porte, Morâd me demande si l'*upgrade* a été réussi. Quand je lui réponds « oui », il paraît étonné.

Je remonte chez moi pour essayer de travailler à ma conférence sur l'aspect bouddhique du soufisme iranien. Je déploie sur le bureau de mon père – celui-là même qui lui a servi à traduire en persan le *Fihrist* d'al-Nadim, le célèbre catalogue arabe du Xe siècle – les ouvrages qui me serviront à rédiger ma propre inter-vention : des recueils de poèmes d'Attâr, le *Djâme-o tawârikh*, et des textes bouddhiques tels que le *Dīghanikāya* et le *Majjhimanikāya*.

Je travaille intensément pendant plus d'une heure. Le *Majjhimanikāya* dit : « Ô moines, il y a deux extrêmes que doivent éviter les religieux : l'attache-ment aux plaisirs et l'attachement aux mortifications. » Dans le *Mantegh-o teyr*, *La Conférence des oiseaux*, Attâr emploie presque les mêmes mots : « Si la porte s'ouvre devant toi, pas de différence entre le bla-sphème et la foi. Car derrière la porte, il n'existe ni l'un, ni l'autre. »

La porte s'ouvre et je vois apparaître ma fille, déguisée et transformée en tigresse. D'énormes moustaches mauves sillonnent ses joues. Elle est épuisée et enchantée. Je songe au mal que j'aurai à la débarbouiller, ce soir.

Vendredi

J'ai décidé, ce vendredi, d'aller me recueillir sur la tombe de mon père, à Behesht Zahrâ, l'immense cimetière de Téhéran. Dâvar me conseille de m'y rendre en métro.

— Tu prends un taxi jusqu'à Mir Dâmâd et de là c'est direct. Tu en auras, au maximum, pour une heure.

Ma tante, dont l'une des principales occupations est de rendre service à toute la famille de Hamid et de Mohtaram, a engagé Hâshem, le mari de Mohtaram, pour me servir de chauffeur. Hâshem est un sexagénaire de petite taille qui, malgré son âge et le patrimoine génétique iranien, a conservé la chevelure de sa jeunesse. Tous les éléments de son visage semblent obéir à un mouvement centripète. Toutes les lignes tendent vers la base de son nez. À vite le regarder (me pardonnera-t-il ?), on croirait voir une tête de chihuahua sur un corps d'homme.

Circuler dans Téhéran intra-muros étant interdit aux particuliers, Hâshem ne sert qu'à transporter ma fille de chez moi à la maison de ma tante et vice versa, ce qui représente, en temps normal, un parcours en voiture de cinq minutes. La seule journée où il peut m'être utile est le vendredi. Or le vendredi est jour férié et Hâshem aime le passer avec sa femme, loin de nous. Pour ce vendredi, je l'ai préalablement averti de mon intention d'aller à Behesht Zahrâ. Tant pis pour leur intimité, pour une fois.

Nous déposons ma fille et Mohtaram au pied de l'immeuble de ma tante. Hâshem, qui se vante d'avoir conduit, chez son premier patron, la seule Bentley de Téhéran et d'avoir servi, comme maître d'hôtel, dans le restaurant le plus huppé de la capitale des Pahlavis, aime débiter, en ma présence, tout son vocabulaire anglais, qu'il destinait à l'époque aux innombrables américains qui résidaient en ville.

— Hâshem *âghâ*, nous ne sommes pas sur la bonne autoroute, prenez la première sortie, m'écrié-je, paniquée à l'idée de perdre trop de temps.

— *Spoon, knife, fork.*

— Hâshem *âghâ*, ralentissez, ne ratez pas la sortie, surtout !

— *Napkins, chicken, cucumber.*

Tout son vocabulaire y passe, ou presque… Et, naturellement, nous ratons la sortie.

Deux heures ont déjà passé depuis notre départ et nous avons à peine quitté Téhéran. Hâshem aime parler de politique. Il écoute attentivement les informations et donne son opinion sur tous les sujets. Il est favorable, comme tous ses compatriotes, à ce que l'Iran enrichisse son uranium, sans toutefois connaître la signification technique de ce terme et les conséquences possibles. D'ailleurs, moi aussi, pour être honnête, j'ignore ce que signifie « enrichissement de l'uranium ».

Sur le chapitre de la bombe, sa théorie est simple et peut se résumer ainsi :

— Si la bombe n'est pas une bonne chose, pourquoi les autres, les grands de ce monde, la possèdent ?

Il répète cette phrase une fois par jour.

Aujourd'hui il ajoute, après avoir raté une nouvelle sortie :

— Comment admettre que l'Iran n'ait pas de bombe et que ces basanés d'Indiens et de Pakistanais la possèdent ? Hein ? Comment admettre ça ?

Un énorme bouchon nous empêche d'avancer. J'ouvre la fenêtre et je demande au conducteur d'une autre Peykân la direction du cimetière de Behesht Zahrâ.

— Prenez la première sortie et revenez sur vos pas. Vous êtes allés trop loin.

— Autrefois, continue Hâshem, imperturbable, j'avais un Indien qui travaillait sous mes ordres. On ne le laissait même pas servir, tellement sa peau était noire.

Il met son clignotant et s'engage enfin dans une sortie.

— *Way out*, déclare-t-il fièrement.

Nous passons devant le mausolée de l'imam Khomeyni, où quatre minarets entourent un immense dôme couvert d'or. Le site est encore en chantier, comme en attestent les quatre bulbes de couleur turquoise qui couvrent les bâtiments destinés à recevoir prochainement des séminaristes.

191

Enfin, nous entrons dans l'enceinte de Behesht Zahrâ. J'achète de l'eau de rose ainsi que des pétales de fleurs et nous nous dirigeons vers le bâtiment qui abrite la tombe de mon père. Nous y accédons après trois heures de route, alors que la station de métro se trouve à vingt mètres du tombeau familial.

Tu aurais dû écouter Dâvar, me murmure ma petite voix.

Ce monument funéraire a été confisqué, avec le reste de nos biens, par le pouvoir islamique. Pourtant je continuais à m'y rendre, malgré les portes scellées, malgré la transformation de la tombe en entrepôt de travaux publics. Un matin, alors que des bulldozers rasaient les bâtiments avoisinants, je me tenais là, fixant les sacs de ciment qui recouvraient la pierre tombale de mon père et je me laissais vider de mon pays.

Par la suite, quand on m'appelait d'Iran, je n'osais demander si les bulldozers avaient terminé leur travail. Un jour pourtant, ma nièce, qui pourrait être ma mère (mon père se maria deux fois. Il eut son premier fils alors qu'il avait dix-sept ans et son dernier enfant, moi, à l'âge de soixante-quatorze ans) m'appela pour me prévenir qu'elle avait réussi, non seulement à récupérer la tombe, mais aussi à la rénover. Les bulldozers qui dégageaient l'entrée du mausolée de l'imam Khomeyni s'étaient arrêtés à quelques mètres de notre monument.

— J'ai une clé pour toi. Tu y vas quand tu veux, m'annonça-t-elle.

192

Aujourd'hui, la clé est entre mes mains. Je peux enfin, après trente années, embrasser de nouveau la tombe de mon père.

Hâshem appelle un employé du cimetière pour qu'il balaie l'intérieur, puis il récite la prière destinée aux morts et me laisse seule. Je verse de l'eau de rose sur les fenêtres, sur les murs, sur le marbre de la pierre. Je couvre le sol de pétales de fleurs. Je m'agenouille sur la pierre, je murmure à mon père qu'à présent j'ai une fille et je me réconcilie avec l'Iran.

Plus loin se trouve le carré des martyrs où reposent les victimes de la guerre Iran-Irak. Les familles des trépassés pique-niquent souvent sur les tombes de leurs disparus. J'ose m'aventurer dans un dédale de vitrines, dressées au-dessus de chaque tombe, et renfermant les effets personnels du martyr. Une jeune fille, née après la guerre, vient présenter son époux à son frère, tombé au front. Une veuve solitaire retire la housse qui protège la boîte en verre, en ouvre la serrure et retire délicatement la photo d'un jeune homme de vingt ans. Elle l'embrasse et lui murmure quelques mots. Aujourd'hui, elle pourrait être sa mère. Son visage est osseux et son nez busqué – elle ne fait pas partie de celles qui se précipitent pour se faire opérer le nez. Ses lèvres sont généreuses et ses pommettes somptueusement structurées.

Avec le pan de son tchador, elle sèche le cadre trempé de larmes avant de le remettre en place. Elle saisit la montre du défunt, en dépoussière le cadran, hume le cuir du bracelet et la remonte. Elle ajoute enfin deux roses artificielles au bouquet de fleurs en plastique.

Mon portable sonne, je ne veux pas répondre, mais je vois que s'affiche le numéro de Morâd. Je m'éloigne de quelques pas. D'un geste rassurant, la veuve m'indique que je ne la dérange pas.

— Allô, allô, je vous entends mal ! clame le photographe.

— *Âghâ* Morâd, essayez de m'appeler plus tard. Je suis à Behesht Zahrâ, je ne peux pas vous parler.

— Où ?

— À Behesht Zahrâ. Au cimetière.

— Vous avez de quoi écrire ?

J'ouvre précipitamment mon sac, dont tout le contenu se déverse sur la pierre tombale du *shahid.* Je présente mes excuses à la veuve, qui me restitue patiemment mon rouge à lèvres, mon bloc-notes, ma barre de chocolat ainsi que mon peigne.

— *Âghâ* Morâd, dis-je, je ne trouve pas mon stylo. Essayez de m'appeler plus tard.

— Tu cherches un stylo ? me demande la veuve en se levant.

Je hoche la tête.

— Notez, reprend Morâd, six photos, dernière facture de téléphone ou d'électricité, original et photocopie de la carte d'identité.

— Mais j'ai déjà fourni ces documents au Bureau de Yâft Âbâd ! m'exclamé-je en reculant de quelques pas.

— Ne bougez pas ! Je ne vous entends plus, s'écrie Morâd.

Je reviens près de la tombe.

— Oui, là c'est mieux, fait-il.

— Je vous disais que j'ai déjà fourni ces documents.

— Mais non, ça c'est pour votre *kârt-e melli*.

— *Âghâ* Morâd, il est vraiment urgent, je vous assure, que je contacte le docteur Askarniâ.

— Je viens de l'avoir, c'est lui qui se propose de vous faciliter l'obtention du *kârt-e melli*.

— Non, je ne veux pas de *kârt-e melli* ! Je veux mon passeport !

— Alors, notez ce numéro : 0912 3157663.

— Répétez, lui demandé-je en essayant de retenir par cœur les chiffres.

À ce moment, la veuve glisse une main dans la vitrine de la tombe. Elle en retire, le plus naturellement du monde, le stylo à bille qui appartenait jadis au jeune martyr et me le tend. J'approche ma main de la sienne. J'hésite à prendre le stylo. J'ai presque l'impression que je vais commettre un sacrilège.

— Écris, écris ! Un stylo est fait pour écrire ! insiste la veuve.

J'obtempère et commence à noter le numéro. Mais le stylo résiste, il est à sec. J'insiste. J'appuie, je griffonne. Le stylo cède enfin et me laisse inscrire les chiffres, d'une écriture hésitante.

Je perçois assez bien la voix de Morâd, qui lui a du mal à m'entendre :

— Si vous voulez contacter le docteur Askarniâ… Allô ? C'est ce numéro qu'il faut appeler. Allô ? Allô ?

Je tiens le stylo entre mes doigts. Il me semble que je sens battre dans ma main le cœur du jeune homme, tombé martyr le 2 *khordâd* 1361[1], pour la reconquête de Khoramshahr, une ville pétrolifère du Sud.

Je raccroche et remercie la veuve. Lorsque je lui rends le stylo, elle me propose de partager son déjeuner.

— Ce n'est que du pain et du fromage, précise-t-elle.

Je décline son invitation. Elle replace le stylo à bille dans la vitrine, s'empare du chapelet de son époux, de son Coran ainsi que de son argile de prière, pour réciter l'oraison funèbre.

Je la laisse là et regagne la voiture de Hâshem. Sur tout le trajet du retour, il me bombarde, sans un répit :

— *Food, bill, tip…*

Mon mari m'appelle et se préoccupe cette fois de notre fille :

— Si tu dois encore rester là-bas, tu devrais conduire Kiara à la campagne. Comment peux-tu garder une enfant enfermée toute la journée dans un petit appartement, entourée de vieux, dans cet air pollué ?

Il a raison. Je décide de récupérer ma fille et de l'emmener se promener dans un parc.

J'appelle Narguess pour l'inviter à se joindre à nous.

— Allons plutôt dans le parc de Sad Âbâd, suggère-t-elle. Il y a moins de monde que dans les parcs publics.

Le complexe de Sad Âbâd a été construit par Rezâ Shâh, le fondateur de la dynastie des Pahlavis, et

---

1. 22 mai 1982.

comprend son propre palais ainsi que ceux de son fils, Mohammad Rezâ Shâh, et des princes. La Révolution a transformé ces palais en musées. L'entrée est payante, ce qui dissuade la foule du vendredi d'investir le parc avec les samovars, les braseros à charbon de bois, les marmites de riz et les raquettes de badminton.

Narguess, qui habite à proximité de Sad Âbâd, propose néanmoins de venir me chercher. Je refuse.

— Mais vendredi, ça roule bien ! réplique-t-elle. Et je suis déjà en route.

Je me vois obligée d'obéir. Vingt minutes plus tard, M. Eskandari m'annonce par visiophone que Narguess est là. Je suis ravie de lui annoncer que j'ai enfin obtenu le bon numéro de Sattâr. Lorsque j'arrive et monte dans sa voiture, elle ne me laisse pas le temps de lui raconter ma petite victoire.

— Avant de faire quoi que ce soit, appelle Sattâr, décrète-t-elle.

Je m'exécute, obéissante. En vain. Personne ne répond.

— C'est bizarre, dis-je. Morâd m'a donné ce nouveau numéro en m'assurant qu'il répondrait.

— Tu l'as eu, Morâd ?

— Ce matin même, à Behesht Zahrâ.

— Et tu n'as pas appelé tout de suite ? me demande-t-elle, apparemment consternée.

— Je ne pensais pas que son numéro changerait en deux heures !

— Passe en rappel automatique et garde ton portable sur toi, m'ordonne-t-elle.

Je lui obéis, une fois de plus.

197

Au pied de l'immeuble de ma tante, Hamid et Kiara nous font de grands signes. Ma fille s'installe sur le siège avant, avec moi, et, comme le disent les Téhéranis, nous « montons » dans le Nord. À force de faire visiter Sad Âbâd à mes amis étrangers, je connais presque par cœur chaque bâtiment, la date de la construction et l'emplacement de chaque objet précieux. Ma fille est particulièrement excitée à l'idée de se promener dans le palais du roi, de la reine et des princesses. Elle les cherche partout, dans tous les coins. Nous sommes obligées d'acheter un ticket et de visiter le palais du Shah pour lui montrer les photos des souverains.

— Où est la reine ? ne cesse-t-elle de demander.

— Elle n'habite plus là, lui dis-je.

— Et le roi ?

— Il est mort.

— Il est avec ta maman, dans la lune ? me demande-t-elle.

— Oui.

— Pourquoi ta maman est morte ?

— Parce qu'elle était malade.

— Et le roi aussi ?

— Oui, le roi aussi.

Nous entrons dans la chambre de l'impératrice. La gardienne, une jeune femme de trente ans, est en train de mettre une fleur dans un vase.

— Je fais ça tous les jours, explique-t-elle doucement. C'est ma façon de lui rendre hommage.

— Elle n'est plus là, la reine ? s'enquiert ma fille.

— J'espère que cette fleur la fera revenir, répond la gardienne.

198

Je pense à la phrase de Balzac et à la comparaison entre le *nous* de l'avenir et le *nous* du passé, entre la vitrine du jeune martyr et la coiffeuse de l'impératrice.

Sur le chemin de la maison, alors que j'annule le rappel automatique et que je recompose le numéro de Sattâr, nous passons en revue tous les commérages de Téhéran. Sattâr, malgré son nouveau numéro, demeure introuvable.

— Appelle Morâd, me conseille Narguess.

Je lui obéis. Morâd ne répond pas non plus.

— Allons à l'atelier, décide-t-elle, désireuse d'en finir avec cette attente.

— C'est vendredi, c'est fermé. Il n'y a personne.

— On les fera venir, ces voleurs. Quatre-vingt mille *tomans* pour une passementerie de merde...

Elle se gare assez facilement et nous nous dirigeons, à pied, vers l'atelier de photographie Ecbâtâne.

— Où sont les voleurs ? demande ma fille.

Sa journée a été on ne peut plus passionnante. Après la visite du palais du roi, la voilà conviée à s'infiltrer dans le repaire des pirates.

Il fait sombre, la rue est déserte et tous les stores des magasins sont baissés. Nous achetons à un marchand ambulant des prunes et des amandes vertes et nous attendons, assises au bord du cours d'eau, l'apparition hautement improbable, pour ne pas dire miraculeuse, des photographes.

— Où sont les voleurs ? répète ma fille.

— J'aimerais bien leur dire deux mots, déclare Narguess, qui n'a pas envie de rire.

Une demi-heure passe. Persuadée que nous perdons notre temps, je prends pour prétexte que le moment est venu de coucher la petite et je me lève. Mais ma fille résiste. Elle veut absolument rencontrer les voleurs.

— Rentre si tu veux, me dit Narguess. Moi, j'attends ici. Tu verras, ils vont bien finir par se montrer.

Rentrer ? Rester ? J'hésite. Mon portable sonne. C'est le docteur Bashiri.

— Nahâl *khânoum*, avez-vous examiné le document confidentiel que je destine à Gérard Depardieu ?

Je viens de me rendre compte que j'ai oublié ce document, la veille, au *show* du mobilier asiatique. Je l'ai probablement posé quelque part, sans doute au moment où je subtilisais les sashimis pour mon oncle.

Allons-y… Je ne suis plus à un mensonge près.

— Oui, dis-je au docteur. Moi je n'y connais pas grand-chose, mais ça me paraît très intéressant. Rassurez-vous, je le lui donnerai en main propre.

Lorsque je lève les yeux, je vois, devant moi, Morâd qui vient d'arriver à l'instant. Narguess avait raison d'attendre.

— Qu'est-ce qui se passe ? Que vous arrive-t-il ? demande-t-il, plutôt embarrassé.

Narguess se lève. Je l'imite.

— C'est lui le voleur ? demande ma fille.

— Mais non, mais non. *Âghâ* Morâd est photographe.

— *Âghâ* Morâd…, commence Narguess d'un ton grave.

— Excusez-moi, me dit Morâd, mais qui est cette dame ?

Narguess poursuit, sans tenir compte de la question du photographe :

— *Âghâ* Morâd, il faut absolument que cette histoire de passeport soit réglée demain.

J'entends la voix du conteur à barbe blanche célébrer la bravoure de Gordâfarid, l'héroïne légendaire de l'Iran. Une de ses manifestations se tient là, dans la rue, à côté de moi : « Elle se présenta devant l'armée comme un homme de guerre et poussa un cri de tonnerre, disant : Où sont les braves et les guerriers ? Qui veut, pareil à un crocodile courageux, s'essayer à combattre contre moi ? »

— Nous ne sommes absolument pas fautifs, réplique Morâd avec contrariété. Dans toute cette histoire, nous n'avons voulu que vous rendre service. Rendre service et c'est tout. C'est comme ça qu'on répond, maintenant, aux services rendus ?

— Quels services ? s'écrie Narguess.

— C'est lui, le voleur ? poursuit ma fille, en tirant avec énergie sur mes vêtements.

— *Âghâ* Morâd, dis-je en désignant Narguess, Mme Dâdvar est plus qu'une camarade, c'est une *delsouz*, quelqu'un qui se laisse brûler le cœur par solidarité pour ses amies.

— Je tiens juste à vous rappeler qu'ici, dans cette rue, Hassan et moi, nous jouissons d'un certain prestige. Est-il digne que deux femmes et une enfant viennent s'asseoir, un vendredi soir, en face de notre atelier, en nous accusant de je ne sais quoi ? demande-t-il.

— Ne mélangez pas les choses. *Âghâ* Morâd, écoutez-moi, poursuis-je, plutôt confuse.

Comme il passe nerveusement ses mains sur son front, je lui tends le paquet d'amandes vertes.

— Nous ne sommes descendues que pour acheter des *tchâghâlehs*, ajouté-je. Servez-vous, s'il vous plaît.

— C'est bien parce que c'est vous, dit-il en acceptant quelques amandes.

— Avant que nous ne nous séparions, pourriez-vous avoir l'amabilité de contacter le docteur Askarniâ ? Ou bien est-ce trop vous demander ?

Morâd s'assied sur le parapet qui borde le cours d'eau, allume une cigarette, exhale un profond soupir et, baissant la voix, commence son explication :

— En fait, le colonel Âzardel s'est brouillé avec le docteur.

— Comment ?

— C'est comme je vous le dis.

Je suis anéantie. Je pense à appeler mon mari pour le prévenir qu'il ne faudra pas compter sur moi ni pour Venise, ni pour Cannes, ni cette année, ni dans un an.

— Pour quelle raison se sont-ils brouillés ? s'enquiert Narguess.

— L'examen médical du cadavre de son cousin, effectué par le docteur, a gravement contrarié le colonel.

— En quoi l'a-t-il contrarié ?

— Pardonnez-moi, je ne connais pas les détails.

— Ils ne se parlent plus ?

— Non. Le colonel refuse de revoir le docteur. À cause des conclusions de l'autopsie. C'est tout ce que je sais.

202

Je me demande anxieusement quelles peuvent être ces conclusions. A-t-on découvert dans le corps du cousin des traces de drogue ? De copulations illicites ?

— Et que va-t-on faire maintenant ? insiste Narguess.

— Il va vous expliquer lui-même. Je l'appelle.

Morâd prend son portable, compose un numéro et me passe enfin Sattâr.

— Nahâl *djân*, me dit-il, ça fait si longtemps que je n'ai plus de tes nouvelles. L'année dernière j'étais ton ami, cette année je ne fais partie que de tes connaissances.

— Mais non, mais non. Qu'est-ce que vous racontez, docteur ?

— Tu nous a oubliés !

— Comment ça, je vous ai oublié ? Je n'ai pas arrêté de vous appeler depuis deux jours ! Et ça n'a jamais répondu !

— Je sais, je sais. J'ai accompagné le convoi funéraire jusqu'à Tabriz, rien que pour toi, rien que pour essayer de plaider encore ta cause ! Mais bon, il ne faut plus insister du côté du colonel Âzardel. C'est comme ça. À cause des conclusions de l'autopsie, que veux-tu.

— Que faire alors ? dis-je en pensant à mon ancien passeport perforé.

Sans ces maudits photographes j'avais la possibilité, comme tout le monde, de faire la queue quarante-huit heures dans la rue et d'obtenir, à coup sûr, un passeport après un mois.

Comme pris d'un regret, Sattâr reprend :

— Écoute, apporte-moi demain six photos d'identité. Fais-toi les tirer par Morâd…

— Pourquoi six photos d'identité ?

— Pour ton *kârt-e melli*. Il faut absolument que tu aies cette carte.

— Non, je ne veux pas de *kârt-e melli*. C'est mon passeport que je veux ! Il faut que je sorte d'Iran ! Je dois aller en France !

— Pourquoi tu refuses ? me chuchote Narguess. Demande-lui aussi pour ton *kârt-e melli*. Qu'est-ce que tu risques ?

— Je vais encore faire quelque chose pour toi, ajoute le docteur. Écoute… Rejoins-moi demain à 10 heures pile devant le portail de l'Organisation générale des passeports. Tu as bien compris ? À 10 heures précises.

Et il raccroche.

— Où est le voleur ? répète ma fille.

— Kiara, monsieur n'est pas un voleur, monsieur est un photographe. D'ailleurs, nous reviendrons ici pour qu'il fasse ton portrait.

— Avec grand plaisir, répond Morâd.

Je tape légèrement sur son épaule et lui souris pour dissiper tout malentendu.

— À demain, *khânoum koutchoulou*, petite dame, dit-il à ma fille, qui reste convaincue d'avoir rencontré un voleur déguisé en photographe.

Nous nous séparons. Narguess ne monte pas chez moi.

— Avec tout ça, tu ne m'as pas laissé régler le problème des chaises, bougonne-t-elle avec amertume.

— *Badan, badan*, plus tard, plus tard.

Samedi

Ce matin, comme tous les matins, mon premier coup de téléphone est destiné à ma tante. Je lui explique que j'ai enfin pu joindre Sattâr, que rien n'est perdu, que j'ai rendez-vous avec lui à 10 heures devant l'Organisation générale des passeports et que j'envoie, au corps défendant de mon mari, ma fille chez elle.

Dix minutes plus tard, elle me rappelle.

— Passe me prendre. J'ai parlé à ton oncle, il trouve que ça serait bien si moi aussi je rencontrais Sattâr. On ne sait jamais, un jour, il pourra peut-être nous être utile.

Comment lui dire que Sattâr, depuis le résultat mystérieusement fâcheux de l'autopsie du cousin du colonel Âzardel, est désormais en disgrâce à l'Organisation générale des passeports ? Trop compliqué. Trop de questions sans réponse. Je ne m'y risque pas.

— Je suis chez toi dans une demi-heure.

J'arrache ma fille à ses pinceaux, à ses pots de peinture. Je lui retire son tablier de peintre et j'essaie de l'habiller d'une autre couleur que le rose. En vain.

Le rose est sa couleur favorite, sa couleur unique. Elle vit en rose.

Je retrouve Hâshem et Mohtaram dans la cuisine. Dans l'espoir de pratiquer son anglais, Hâshem se prépare à m'accompagner. Je lui rappelle que je vais en « ville » (expression qui m'est restée depuis mon enfance, où nous habitions à Shemirân, dans le nord de Téhéran), et qu'il doit savoir, depuis le temps, que la circulation des voitures particulières y est formellement interdite.

— On pourra toujours se débrouiller pour échapper aux yeux des policiers, me dit-il, rêvant sans doute de réviser en ma compagnie les noms anglais des ustensiles de cuisine.

Je lui réponds en sirotant mon café, le préféré de M. Sâbeti :

— Non, c'est impossible.

Pourtant, je sais que c'est possible. Narguess le fait constamment, sans problème. Elle a son circuit. Elle connaît par cœur l'emplacement de chaque agent, à l'entrée du périmètre interdisant la circulation. Aussi, en les évitant adroitement, circule-t-elle avec sa voiture personnelle dans tout Téhéran.

Le téléphone sonne. Je demande à Mohtaram de répondre que je suis absente.

— Ça vient de l'étranger, me chuchote-t-elle.

— Je n'ai pas le temps de parler.

— *Telefon later*, allô, *telefon later*, dit-elle avant de raccrocher.

Hâshem, qui ne supporte pas les progrès de Mohtaram dans sa pratique des langues étrangères, énonce, d'un ton solennel :

— Mohtaram *khânoum, telefon* est un mot persan. Quand tu dis à un Français *telefon later,* il ne comprend rien. Si tu ne sais pas comment on dit *telefon* en anglais, contente-toi de dire *later.*

Il me ressert du café et sollicite mon appui :

— Madame, faites-lui donc comprendre que parler une langue étrangère ce n'est pas dire un mot par-ci, un mot par-là.

« Un mot par-ci, un mot par-là » fait allusion aux mots français que Mohtaram a appris depuis qu'elle s'occupe de ma fille. Dominé en toute matière par sa femme, Hâshem ne tolère pas, à présent, qu'elle le surpasse même dans sa propre compétence, le domaine linguistique.

— L'autre jour, ajoute-t-il, Mohtaram m'a dit : « Je veux faire des *pâtes* pour Kiara *khânoum.* »

Il prononce le mot *pâtes* en français. Et il continue, en désignant Mohtaram :

— Madame passe à peine un mois avec une petite qui parle français, et elle oublie son propre vocabulaire. Mohtaram *khânoum,* pour *pâte,* nous disons, en persan, *mâcâroni.*

— *Boro bâbâ,* laisse-moi tranquille, rétorque Mohtaram qui, depuis longtemps, a renoncé à s'abaisser au niveau de son mari.

Pour Mohtaram, il n'y a qu'un idéal, qu'un but à suivre : penser et agir comme ma mère, qu'elle a servie pendant de longues années et qui reste pour elle le modèle suprême. À l'instar de ma mère, Mohtaram ne supporte pas les bavardages, coupe la musique dans la voiture, déteste les arrangements floraux (ma mère coupait aussitôt l'élastique qui étouffait les fleurs et les disposait librement dans le vase), boit le thé dans des tasses à demi pleines, fuit les embrassades, bouche son nez au contact d'un parfum trop fleuri...

Profitant de l'apparente indifférence de Mohtaram, Hâshem répète :

— Pour nous Iraniens, c'est *mâcâroni* et non pas *pâtes.*

Je regarde ma montre. Malgré ma hâte de sortir, je continue :

— Hâshem *âghâ, telefon* et *mâcâroni* sont des mots étrangers.

Il n'a pas l'air convaincu. Je m'acharne à lui donner des explications techniques :

— Vous savez, le téléphone a été inventé par Graham Bell qui était un scientifique américain.

— Peu importe qui l'a inventé ! Le mot est persan.

— *Boro bâbâ,* répète Mohtaram à l'intention de son mari. Allons, allons... (Puis elle se tourne vers moi et ajoute, en lavant ma tasse :) Madame, laissez tomber, ça ne sert à rien.

Hâshem ouvre alors un placard, en tire une boîte de pâtes *farfalle* et me déclare :

— Lisez, c'est bien écrit en persan. Vous voyez, là... « *Mâcâroni* » !

— Hâshem *âghâ,* dis-je, il est indigne de vous et de votre connaissance culinaire internationale d'ignorer que *mâcâroni* est un mot italien qui ne s'emploie que pour les pâtes en forme de tubes.

Il saisit quelques *farfalle,* les observe attentivement et insiste avec une certaine insolence :

— *Mâcâroni* est un mot persan qui s'emploie pour diverses formes de cet aliment, dont celle en ailes de papillon.

Je suis confondue. Sur la boîte de *farfalle*, fabriquée en Iran, je vois en effet imprimé : « mâcâroni-papillons ». Hâshem a raison. Je dois l'admettre.

Me voici en retard. Je cours me préparer et revêtir la tenue islamiquement correcte, celle qui est destinée à l'administration. Mohtaram se charge de m'appeler une *âjâns*, tâche qu'elle ne confierait en aucun cas à Hâshem, qu'elle juge incapable de « bien commander un taxi », et ce en dépit de son récent triomphe étymologique.

Elle m'attend près de la porte avec mon foulard, qu'elle a repassé, et me dit à voix haute :

— Ne vous inquiétez pas pour Kiara. À midi, je lui ferai des *pâtes*.

Le chauffeur de l'*âjâns* n'est ni Gheysar, ni celui qui multiplie par deux le prix de la course. Celui d'aujourd'hui a les yeux bleus (je me demande si d'aventure il ne porte pas des lentilles), le nez opéré et les cheveux rebelles, à la Johnny Depp.

Je lui donne le nom de l'immeuble de ma tante : « ASP. » Il me fixe dans le rétroviseur et dit :

— Je regrette, je ne sais pas où c'est.

Tout Téhéran connaît ces immeubles, les premières tours résidentielles de la capitale, construites à l'époque du Shah par des ingénieurs français. Je lui indique le chemin.

Avertie par Mohtaram, ma tante nous attend au pied de l'escalier de l'entrée. Elle monte dans l'*âjâns* et nous prions le chauffeur de nous conduire à l'Organisation générale des passeports.

— Je regrette. Je ne sais pas où c'est, dit-il encore.

— Vous êtes au volant d'une *âjâns* n'est-ce pas ? demande ma tante, d'une voix irritée.

— Oui, mais je ne suis pas chauffeur de taxi.

— Qu'est-ce que vous faites alors ? s'enquiert ma tante.

Il me fixe de nouveau dans le rétroviseur et ajoute :

— Je suis steward sur les lignes intérieures.

Bon. Encore un petit mystère que je n'ai pas le temps d'élucider. Nous le dirigeons rue par rue, autoroute par autoroute, jusqu'à notre destination. Là, je le prie de nous attendre.

— Pourrais-je vous importuner ? me demande-t-il.

Un pied déjà posé sur l'asphalte, je reste un instant dans la voiture.

— Oui, je vous écoute, dis-je.

— Si vous avez un moyen de vous introduire là-dedans, pourriez-vous requérir pour moi un formulaire de passeport ?

— Parce que vous voulez quittez l'Iran ?

— Qui ne le veut pas ?

Sattâr est là, devant le portail en fer. Je lui présente ma tante.

— Jeune, elle devait ravager les cœurs, me chuchote-t-il à l'oreille.

210

— Que désire monsieur le docteur ? demande-t-elle, car elle n'a pas entendu.

Je ne sais que répondre. Ma tante fait partie des rares femmes qui n'apprécient pas les compliments des hommes. Dans sa jeunesse, quand elle pouvait réellement « ravager les cœurs », elle se contenta de ne regarder que son mari et de ne tolérer que les louanges de mon père, son beau-frère. Un soir, dans les années 60, à l'hôtel Darband, le night-club légendaire de Téhéran, le tombeur du moment l'invita à danser. Elle obtint, par un simple coup d'œil, l'accord de son époux, et accepta, en dépit de ses propres réticences, l'invitation du séducteur que l'on disait irrésistible.

Engagée presque malgré elle sur la piste, elle ménagea aussitôt une zone de sécurité entre son cavalier et elle-même, en maintenant ses mains au niveau des seins, et dansa ainsi jusqu'à la fin de *Y viva España*. Encore aujourd'hui, elle aime raconter combien elle souffrit pendant ce lointain paso-doble. Pour ne pas croiser les yeux de son partenaire (plus beaux que ceux de son mari), elle braqua son regard sur le sol et faillit tomber à plusieurs reprises. Des gouttes de sueur roulaient sur son visage. Ses mains moites, qui tentaient de battre le rythme de la musique, glissaient sans cesse. Tout le long de ce combat quasi tauromachique, elle s'imagina être le taureau que le plus bel homme de Téhéran allait abattre sous les yeux compatissants, mais au fond complices, des *night-clubbers*. À la fin du morceau, son partenaire lui embrassa la main. Elle la frotta si énergiquement contre sa jupe rouge qu'on eût dit qu'elle se purifiait d'une tache et elle se boucha les oreilles lorsqu'elle l'entendit murmurer :

211

— Comme vous êtes belle.

Que lui dire maintenant ? Que Sattâr la trouve belle ?

— Rien, allons par-là, dis-je en la menant vers la cabine réservée aux femmes et destinée à contrôler leur tenue.

Alors que j'ouvre mon sac pour le montrer à une des inspectrices, celle-ci me fait signe de le refermer et me tend une assiette de dattes.

— Sers-toi. Ne fais pas de *târof*, ajoute-t-elle. C'est bon pour ta tension.

Elle jette un coup d'œil rapide à la tenue de ma tante et explique, à son intention :

— La première fois ta fille était tellement pâle… J'ai dû insister pour la faire asseoir et l'obliger à boire un verre de thé sucré.

Je constate que c'est en effet la même inspectrice que la semaine dernière. Je me demande comment celle-ci a pu me reconnaître, elle qui, depuis notre brève rencontre, a sans doute vérifié les ongles, les lèvres, les sacs, les foulards et les manteaux de plusieurs milliers d'autres femmes.

Je la félicite pour sa mémoire. Elle me propose à nouveau des dattes. J'en prends deux ou trois et je sors, suivie de ma tante. Sattâr nous conduit vers le hall du rez-de-chaussée, là où se trouvent les guichets réservés à la remise des passeports. Il nous suggère de faire, chacun, la queue derrière un guichet.

À cet instant précis, je sens que Sattâr ne nous offre plus aucun appui, que je ne pourrai plus compter sur lui. Nous choisissons trois files différentes et nous attendons. Ma tante, qui souffre du dos, renonce vite à

212

cet exercice. Sattâr informe la femme placée devant lui qu'il s'absente provisoirement mais qu'il reviendra tout de suite. Il va s'approvisionner, précise-t-il, en boissons et gâteaux. Il revient un moment plus tard avec des jus « exotiques » et une boîte de choux à la crème. Nous n'avons pas bougé d'une semelle. Ma tante se jette sur la pâtisserie.

— *Noush-e djân*, lui dit Sattâr, que ton âme le déguste en douceur.

Je veux payer, comme il serait normal de le faire.

— Tu n'as pas honte, tu veux me déshonorer ou quoi ? s'exclame Sattâr en repoussant mes billets.

Je les range dans mon sac. Sattâr, généreusement, fait tourner la boîte de choux à la crème devant les gens qui nous entourent. Frappés d'un *târof* contagieux, ils refusent tous d'y goûter. Sattâr introduit la paille dans le jus « exotique » et me dit :

— Tu as déjà goûté à ça ? Toute l'Europe est accro aux produits de cette marque iranienne.

— Non, je n'y ai jamais goûté.

— Allez, bois, *noush-e djân*. Ne pense pas qu'à ton travail, qu'à ta conférence… Allez, bois.

Je goûte à son jus « exotique », qui est semblable à tous les jus exotiques du monde. Puis je me dresse sur la pointe des pieds pour épier l'officier, qui quitte sa cabine, ses dossiers sous le bras.

— Celui-là vient de s'en aller, dis-je à Sattâr. Nous ne pouvons pas monter voir le colonel Âzardel ?

— Il faut absolument que je m'occupe de ton *kârt-e melli*, répond-il, comme s'il n'avait pas entendu le nom du colonel. En sortant d'ici, si tu veux bien, je

213

te conduirai auprès d'un collègue qui t'arrangera ça en une demi-heure.

Le *kârt-e melli* s'obtient, normalement, après six mois de démarches complexes et épuisantes auprès de la poste, de la banque et de la mairie centrale de Téhéran. Je comprends sans peine que l'insistance de Sattâr à propos de mon *kârt-e melli* est un aveu déguisé de son impuissance en ce qui concerne mon passeport.

Il fait défiler les noms du répertoire de son portable.

— Tiens, note ce numéro : 0912 4258210. Appelle M. Zargar de ma part et précise-lui que c'est pour ton *kârt-e melli.*

— Je vous remercie, mais pour le moment je n'ai besoin que de mon passeport.

— Qu'est-ce que tu es têtue ! Comme toutes les neurasthéniques ! M. Zargar est un collègue précieux, on n'en fait pas deux comme lui !

Il porte sa main à ses lèvres serrées et fait mine d'envoyer un baiser à M. Zargar.

— D'ailleurs, si tu avais apporté tes documents, je les lui aurais remis tout à l'heure à la morgue.

En oubliant délibérément mes documents, je viens d'éviter à mes six photos, à ma dernière facture d'électricité, à l'original et à la photocopie de ma carte d'identité, d'être posés sur l'estomac d'un trépassé, entre œsophage et duodénum.

Ma tante, qui vient de terminer son chou à la crème, saisit l'occasion pour exposer au médecin légiste le cas de son mari :

— Monsieur le docteur, mon mari aura bientôt besoin, lui aussi, de renouveler son passeport. Mais, comme il ne peut pas se déplacer, je voudrais savoir si vous connaîtriez quelqu'un pour nous dépanner.

— Pourquoi ne peut-il pas se déplacer ?

Ma tante, qui ne prononce jamais les mots « handicapé », « invalide » ou « infirme », répond :

— Le chirurgien qui devait l'opérer pour une hernie discale l'a tellement piétiné que mon mari a momentanément perdu l'usage de ses jambes.

— Aussi belle que ça et vivre avec un handicapé ! me chuchote Sattâr.

— Veuillez m'excuser, monsieur le docteur, je ne vous ai pas bien entendu, lui dit ma tante, les yeux déjà pleins de larmes.

— Et tendre par-dessus le marché ! renchérit Sattâr.

Lorsque son tour arrive, Sattâr m'appelle au guichet et me cède sa place. Je glisse, à travers une fente, le reçu du Bureau de Yâft Âbâd à l'officier qui est assis dans une cage de verre. L'officier l'examine et m'annonce que, pour retirer le passeport, il faut attendre au moins un mois.

Je me retourne, je repère Sattâr et je lui fais signe de venir. Mais Sattâr traîne la jambe. Depuis que le colonel le boude, il n'a plus la cote – et il le sait – à l'Organisation générale des passeports. Les rumeurs de disgrâce vont vite. Malgré tout, il me rejoint lentement au guichet, propose des choux à la crème et du jus « exotique » à l'officier et lui dit, subrepticement, que mon dossier a été suivi par le colonel Âzardel.

L'officier refuse le gâteau mais se lève pour saisir le jus et déclare :

— Dans ce cas, dites-lui de me donner des instructions écrites.

Sattâr colle son visage contre la vitre et raconte, en confidence :

— Le colonel est endeuillé, vous le savez peut-être, je ne peux pas le déranger pour une aussi petite affaire. Adoré de mon cœur, interroge donc ton ordinateur. Je suis persuadé que son passeport est prêt.

L'officier pianote un instant sur le clavier, puis lève ses yeux sur moi.

— Il y a un problème, dit-il.

— Lequel ?

— Le passeport a été bloqué à la section numéro 1.

— À la section numéro 1 ? s'étonne Sattâr en reculant d'un pas.

— Parfaitement, répond l'officier.

Être refusé par la section numéro 1 est la pire des sanctions. Cela équivaut à une interdiction formelle de quitter le territoire iranien. Cette section, qui ne s'occupe que des affaires sécuritaires, est la hantise de tout Iranien, de toute personne susceptible d'avoir œuvré, de près ou de loin, pour la déstabilisation du régime islamique.

Que s'est-il passé ? Pourquoi mon passeport se retrouve-t-il bloqué à la section numéro 1 ? Je cherche ma tante des yeux et je me réjouis de la voir plongée dans un nouveau chou à la crème.

Je m'enhardis. Elle est loin et occupée à prendre des kilos que même le docteur Bashiri aura du mal à lui faire perdre. Elle ne va donc pas s'évanouir à la nouvelle de ma halte prolongée, sinon définitive, en

Iran. Rapidement, j'imagine les raisons pour lesquelles mon dossier a pu être recalé par la section numéro 1. Quelquefois une simple photo en bikini prise au bord d'une piscine, l'étreinte d'un ami dans le quartier des antiquaires, un fou rire à la Maison des artistes, un chewing-gum trop gonflé dans un bus, un parapluie rouge ouvert par un jour de pluie, un bonbon avalé pendant le mois du ramadan, la visite de deux *nâ mahrams* (des hommes ne faisant pas partie de la famille) à l'heure du thé, peuvent être interprétés comme des actes subversifs, mettant en danger la stabilité du régime et l'assise même de l'islam.

Rapidement, je conclus que je peux être accusée de tous ces crimes, ou presque, et, paradoxalement, je réagis comme une personne irréprochable.

J'assène un coup de poing sur la bordure du guichet derrière lequel se trouve l'officier et je hurle, ce que je ne fais jamais d'ordinaire :

— Il est impossible que j'aie des ennuis avec la section numéro 1 ! Impossible ! répété-je en donnant un nouveau coup de poing.

Je me retourne pour solliciter Sattâr. Mais, appréhendant de trop se compromettre avec moi (le colonel Âzardel l'a pris en grippe, n'oublions pas), il reste en retrait, à quelques pas, comme s'il ne me voyait plus.

Je frappe, une fois de plus, le rebord du guichet et je crie de nouveau de toutes mes forces :

— Dois-je répéter qu'il est impossible que la section numéro 1 rejette le renouvellement de mon passeport ? Combien de fois dois-je le répéter ?

J'entends ma propre voix que, soudain, je ne reconnais plus. Ce n'est plus la voix de cette femme qui réagit docilement aux iniquités, qui se fait désigner « sans mains ni pieds », qui se contente de soupirer devant le malheur, qui se laisse diriger par sa réserve naturelle, son éducation, son amabilité.

La voix que j'entends est celle de ma mère, puissante, déterminée, intrépide. Soudain je la vois, ma mère, défendre seule, contre les paysans révolutionnaires, la dernière parcelle de ses propriétés. Je la vois, plus jeune, sur la place de ce village dont toutes les terres lui appartenaient, gifler l'émissaire du frère du Shah. Je la vois traverser la nuit à cheval une rivière en crue. Je la vois, enfant, vêtue d'un uniforme militaire, accompagnée de son tigre familier, passer en revue les troupes de son père, un général kurde, dont les ancêtres avaient été installés au XVIᵉ siècle, à la demande des rois safavides, dans le Mâzandarân pour sauvegarder les frontières septentrionales de l'Iran.

L'officier consulte son ordinateur en sirotant le jus « exotique ».

— Pourquoi tu cries ? me répond-il d'un ton dolent. Ce n'est pas la peine d'alarmer tout le monde. On a bien le droit de se tromper non ?

— Vous vous êtes trompé ?

— Qu'est-ce que tu es impatiente ! Laisse-moi t'expliquer.

Il avale une gorgée de jus. Je me dis qu'avec ses lèvres noires et son élocution traînante, il doit certainement être opiomane.

— En fait ton passeport est toujours à Yâft Âbâd.

Encore sous le choc de la section numéro 1, Sattâr garde ses distances avec moi. Je l'appelle :

— Monsieur le docteur, venez, le problème est que mon passeport est resté à Yâft Âbâd.

Le docteur s'avance, cette fois d'un pas plus assuré.

— Tu n'es pas une femme, tu es une lionne, me glisse-t-il à l'oreille.

Puis il s'approche de la vitre et s'adresse à l'officier en y déposant un halo de buée :

— Adoré de mon cœur, je suis tout ouïe, quel est le problème ?

— Je répète, le passeport est toujours à Yâft Âbâd.

J'écarte Sattâr de la vitrine et, tout en évitant que mon visage n'effleure la buée laissée par son haleine, je demande à l'officier, toujours avec autorité :

— Que faut-il faire maintenant ?

— Ce n'est pas à moi qu'il faut le demander. Le processus ordinaire dure un mois. Mais si tu es recommandée par le colonel Âzardel, un mot de lui suffit pour réduire d'un quart le délai d'attente. Personne suivante !

Sattâr s'incline et lui envoie un baiser du bout des doigts.

— Alors ? Que faut-il faire maintenant ? répété-je, désemparée.

— Je n'en sais rien. D'abord, il faut laisser au colonel Âzardel le temps de porter son deuil. Ensuite nous devons arranger ton *kârt-e melli*. Et pour finir t'envoyer faire une analyse de sang.

Ce qui, en clair, signifie : je ne peux plus rien pour toi.

J'appelle ma tante. Son visage est maculé de farine.

— Ça y est, tu l'as, ton passeport ? me demande-t-elle en s'essuyant.

— Non, je t'expliquerai plus tard.

— Elle l'aura, elle l'aura, dit Sattâr pour la rassurer. Mais qu'est-ce qu'elle est pessimiste ! Et nerveuse ! Ça se voit qu'elle a vécu à l'étranger et qu'elle a lu Schopenhauer.

— Vous connaissez Schopenhauer ? dis-je, stupéfaite.

— Ah, tu croyais que ton *doctor* était inculte, hein ? Schopenhauer est né en 1788 à Dantzig et mort le 21 septembre 1860 à Francfort-sur-le-Main. Qui dit mieux ?

Je reste éberluée. Un nouveau monde s'ouvre sous mes pas. Que vient faire Schopenhauer dans mon histoire ? Je m'attendais à tout sauf à lui.

Sattâr tire de sa poche une feuille et la déplie.

— Tu veux une citation de lui ? Écoute bien : « La vie de l'homme oscille, comme un pendule, entre la douleur et l'ennui. » Si tu veux bien, après le *kârt-e melli* et la visite médicale, je te conduirai à la bibliothèque de l'Université de la Police où l'on peut trouver toutes les œuvres de Schopenhauer.

— *Badan, badan*, plus tard.

Tandis que nous sortons et traversons la cour, Sattâr s'arrête soudain.

— Tout à l'heure tu m'as vraiment bluffé. Quel cran ! Ah, mille bravos ! Moi qui te croyais fragile et à tendance neurasthénique... Écoute-moi, n'importe qui d'autre aurait craqué.

— Craqué devant quoi ? s'enquiert ma tante, qui n'est au courant de rien.

— L'officier lui a dit qu'elle était interdite de sortie, répond Sattâr.

— Tu es interdite de sortie ? demande ma tante affolée.

— Non, il l'a dit comme ça, pour se débarrasser de moi, pour me précipiter dans l'angoisse, pour m'obliger à me débattre pendant une semaine et m'annoncer, au bout de tout ce temps, que mon problème est finalement réglé.

Sattâr, qui tient toujours sa feuille de citations, en choisit une autre et poursuit sa lecture :

— « Ce que chacun recherche et aime avant tout, non seulement dans la simple conversation, mais encore a fortiori dans le service public, c'est l'infériorité de l'autre. »

— Schopenhauer ?

— Schopenhauer, affirme-t-il.

Nous traversons, ma tante et moi, la cabine réservée au contrôle vestimentaire des femmes.

— Ton affaire n'a pas été réglée, n'est-ce pas ? s'informe la contrôleuse.

— Non.

— À bientôt alors.

— À bientôt.

Nous sortons. Je ne sais toujours pas comment, tout à l'heure, elle a pu me reconnaître, parmi des milliers de visiteurs, et comment, à l'instant même, elle a su que j'avais échoué.

Dehors, Sattâr nous attend devant sa moto, le casque sous le bras. Je le remercie. Il me conseille de ne pas trop m'alarmer. J'approuve d'un mouvement de tête. Il monte sur sa moto et s'en va, sans mettre son casque.

Je ne le reverrai plus.

Nous montons, ma tante et moi, dans l'*âjâns* qui nous attend. Le steward s'enquiert de notre destination. Nous la lui indiquons, tout en sachant qu'il sera incapable de nous y conduire. Après une centaine de « à gauche », « à droite », « tout droit », nous nous retrouvons enfin devant l'immeuble de ma tante. Au moment de payer commencent les formules de *târof* habituelles :

— Combien je vous dois ?

— Rien, vous êtes mes invitées, je vous en prie.

— C'est très aimable, mais combien je vous dois ?

Avant que nous descendions, le steward ajoute :

— Je ne voudrais pas vous mettre dans l'embarras, mais vous n'auriez pas par hasard oublié de me procurer le formulaire de la demande de passeport ?

J'ai envie de lui répondre que la faute en revient à Schopenhauer.

— D'ici quelques jours, je retournerai certainement là-bas. Je vous promets de demander, cette fois, le formulaire. Aujourd'hui, c'était impossible.

Il me donne sa carte de visite, qui représente des lunettes en forme de hublot d'avion avec, inscrits sur chaque « verre », son nom et son numéro de portable.

Nous nous quittons. Comment retrouvera-t-il son chemin ? Je m'en inquiète pendant quelques secondes, et puis j'oublie.

Dans l'ascenseur, nous décidons, ma tante et moi, de ne pas révéler notre échec à mon oncle. Cela pourrait freiner sa rééducation. Nous sommes accueillis par Samirâ, Masserat, Hamid, Mohtaram et ma fille. Mon oncle se redresse avec agilité dans son lit – depuis le début, l'affaire de mon passeport le met dans un état second – et me demande :

— Tu as ton passeport ? Montre-le-moi.

Je lui explique qu'il faut attendre encore quelques jours.

— Avez-vous interrogé ce type pour moi ? demande-t-il.

Ma tante va s'asseoir au bord de son lit et lui raconte en détail notre matinée, depuis le chauffeur qui était steward sur les lignes intérieures, la contrôleuse qui se rappelait ma chute de tension, le jus « exotique » que l'Iran exporte à qui mieux mieux, les choux à la crème auxquels elle n'a pas pu résister et pour finir Schopenhauer, philosophe allemand d'importance, dont on peut trouver les œuvres complètes à la bibliothèque de l'Université de la Police de Téhéran.

Mon oncle l'écoute patiemment.

— Je m'exprime bien en persan, n'est-ce pas ? dit-il. Dans tout ça, avez-vous interrogé ce type pour moi ?

Je quitte le salon pour me réfugier dans la chambre de ma tante et appeler mon mari, Narguess, les photographes, et pourquoi pas l'oiseleur, celui qui disait connaître tous les lieutenants du Bureau des passeports de Yâft Âbâd.

Je commence par mon mari. Je tombe sur son répondeur et je ne laisse aucun message. Que lui dire ? Je téléphone ensuite à Narguess. Elle me répond, à voix basse, qu'elle se trouve à ce moment précis au beau milieu d'une cérémonie de deuil. J'entends en effet, autour d'elle, des citations coraniques en arabe. Je n'insiste pas. Je raccroche.

Je compose alors le numéro des deux photographes.

— Allô, atelier Ecbâtâne, je vous écoute, dit la voix de Morâd.

— Bonjour *âghâ* Morâd, c'est Nahal Tajadod.

— Bonjour madame, comment allez-vous ?

— Bien, merci et vous ?

— J'attends votre fille pour faire son portrait. Il faut qu'elle porte une robe colorée, un ruban dans ses cheveux et des boucles nacrées aux oreilles.

— *Âghâ* Morâd, je ne vous appelle pas pour ça. Je viens de quitter le docteur Askarniâ à l'Organisation générale des passeports, où on nous a déclaré que mon passeport était toujours à Yâft Âbâd.

— Et alors ?

— Je ne sais plus que faire, je vous l'avoue. Nous avons attendu une semaine et rien ne s'est passé.

— Je comprends. Vous savez, nous n'en serions pas là si le résultat de l'autopsie avait été différent. Mais ne vous tourmentez pas. Je vais tout de suite joindre le docteur.

Je suis tentée, de mon côté, d'entrer en contact avec l'oiseleur. Mais, alertée par ma petite voix, je me retiens de plonger dans un monde où le sort de mon passeport se déciderait entre un perroquet et un canari.

J'abandonne momentanément mes préoccupations administratives.

Je dois me rendre chez un vieux marionnettiste pour l'inviter au mois de juin à Montpellier, au Printemps des comédiens, un festival que préside mon mari. Le plan de circulation s'appliquant jusqu'à 17 heures et le numéro d'immatriculation de la voiture de Hâshem se terminant par un chiffre pair (ce qui correspond à samedi, lundi et mercredi), je peux, à 17 h 30, ce samedi, me faire accompagner par lui.

J'emmène aussi ma fille. Je préviens que nous pourrions rentrer très tard, car la maison du marionnettiste se trouve loin, dans le quartier de Sar Tcheshmeh. Aussitôt, ma tante, qui pourtant n'aime pas sortir après le coucher du soleil, me propose de se joindre à nous. Je connais la raison de cette décision soudaine : Sar Tcheshmeh est le quartier de son enfance.

Durant tout le trajet, ma tante me raconte (combien de fois l'ai-je entendu déjà ?) que sa grand-mère était convaincue que leur maison renfermait un trésor.

— Un jour, je devais avoir cinq ou six ans, explique-t-elle, ils ont fait venir un devin, lequel, après avoir mesuré tous les recoins de la maison avec des déclinatoires, dessiné des plans avec des compas et récité toutes sortes de prières, désigna l'entrée du sous-sol et dit : « Creusez là, vous trouverez une crypte, et dans cette crypte se trouve caché le trésor des

Assassins. Mais attention, cela ne devra être fait que par les mains d'une fille de cette famille qui a les cheveux blonds. »

— Quel trésor ? demande ma fille.

— Le trésor des Assassins, lui dis-je, en pensant qu'elle ne doit pas trop s'ennuyer en Iran : hier la visite de la chambre de la reine, suivie de la rencontre d'un voleur et aujourd'hui la découverte d'un trésor enfoui. Qui dit mieux ?

Pour couper court au récit de ma tante, Hâshem, qui a hâte de se lancer dans sa litanie en anglais, intervient :

— Une blonde ! Mais ça ne se trouve pas dans nos familles !

— Moi, petite, j'avais les cheveux clairs, poursuit ma tante. Ma grand-mère me convoqua et me montra au devin. Mais il décréta aussitôt que la fille qui ouvrirait l'accès au trésor des Assassins devrait avoir des cheveux non pas clairs mais blonds, vraiment blonds.

— Mais une blonde, ça ne se trouve pas dans nos familles ! répète Hâshem.

— Non, mais je voulais absolument pénétrer dans la crypte et découvrir le trésor, continue ma tante. Tu sais, j'étais à peine plus grande que Kiara. Alors j'ai demandé au devin : « Et si je l'ouvre, moi ? Qu'est-ce que ça fait ? » Il m'a répondu, sinistre : « Sept ans de malheur. » Le lendemain, ma grand-mère fit murer l'entrée du sous-sol.

— Et si je l'ouvre, moi ? demande Kiara.

— Toi non plus, tu n'es pas blonde. Mais quand, bien plus tard, après qu'on eut déménagé de cette maison, ta tante, tatou, est née, avec ses belles boucles blondes, ta grand-mère et moi nous nous sommes rappelé la vieille prédiction du devin.

— Raconte-moi. Et alors ? Et alors ? demande Kiara.

— Et puis, nous avons oublié.

— S'il te plaît, on va ouvrir le trésor, supplie Kiara.

— Pour commencer, allons voir des marionnettes, d'accord ? dis-je.

Kiara acquiesce. Avant le trésor, les marionnettes. Nous nous garons en dehors de l'enceinte de Sar Tcheshmeh, un dédale de rues étroites, inaccessible en voiture. Nous interrogeons les gens du quartier. Ils connaissent tous le marionnettiste et veulent bien nous conduire chez lui. Par *târof,* je refuse. Mais Hâshem finit par demander à un adolescent de nous y mener.

— C'est notre maison, là, regarde ! s'exclame soudain ma tante. C'est bien la nôtre.

L'adolescent annonce que nous sommes arrivés et sonne à la porte d'en face. J'ai à peine le temps d'observer l'entrée de la maison qui appartenait à ma famille maternelle, encadrée par deux bancs taillés dans le mur et dominée par deux lanternes centenaires. Le marionnettiste en personne se présente pour nous accueillir. C'est un très beau vieillard. Il pourrait tenir le rôle des tendres grands-pères dans les séries télévisées.

— Bonjour, dit-il en français à ma fille. Comment vas-tu, ma chérie ?

Il a parlé en français, et sans aucun accent.

227

Comme je trouve déplacé de lui demander d'emblée d'où il tient ce français impeccable, je présente l'adolescent au marionnettiste :

— Monsieur a eu la gentillesse de nous guider jusqu'ici.

— Qu'il soit le bienvenu, déclare notre hôte.

L'adolescent nous suit à l'intérieur le plus naturellement du monde.

Nous pénétrons tous dans un petit jardin avec, au centre, un bassin doté d'un jet d'eau en forme de tête de lion. Disposés le long du mur, des pots de jasmin embaument. La maison date du XIXᵉ siècle, ce qui est une rareté en Iran, ce pays où l'on détruit tout pour construire du neuf, que l'on détruira par la suite. Quelques marches conduisent à une terrasse et au vestibule. Nous retirons nos chaussures et nous montons. L'adolescent, notre guide, fait de même.

— Il faut enlever les chaussures comme à l'école, remarque Kiara.

Le marionnettiste nous invite au salon, qui s'ouvre sur la terrasse par des portes-fenêtres garnies de vitraux. Nous nous asseyons à même le sol, adossés à des coussins recouverts de tapis. Un moment de bien-être. Une jeune femme, vêtue d'un tchador clair, nous sert le thé.

— C'est ma belle-fille. Elle est miniaturiste.

Sa beauté me rappelle les clichés de la poésie persane : des yeux enivrés, des sourcils arqués, des lèvres amincies, resserrées. Notre hôte désigne les tableaux accrochés au mur et déclare fièrement :

— Ses œuvres.

Je me lève et je regarde, au hasard, une des miniatures : une femme jouant de la mandoline. Apparaît alors une jeune fille qui nous propose un plateau de pâtisseries. Nous apprenons qu'elle est la fille de la maison et une virtuose de *setâr*, un luth à manche. Elle porte la tunique rouge des tribus turkmènes et leur foulard pailleté. Son image pourrait illustrer la couverture d'un livre de tourisme sur l'Iran, si persane est sa beauté.

La miniaturiste et la musicienne prennent place de part et d'autre de ma tante et de moi.

— C'est ici le trésor ? demande Kiara

— Non. Rappelle-toi : ici nous allons voir des marionnettes.

À la recherche du trésor, elle descend tout de même dans le jardin. Alors que je me lève pour la suivre, une des jeunes femmes, la musicienne, me rassure :

— Mon frère veillera sur elle. Il est en bas, dans le jardin.

Les filles insistent pour que nous nous servions de *zaboun*. Oubliant les choux à la crème de ce matin, ma tante goûte au gâteau.

— Ça a exactement le même goût que quand j'avais dix ans, dit-elle.

Je pense à l'inévitable madeleine de Proust. Comment ne pas y penser ?

— Est-ce que la pâtisserie Shokoufeh existe toujours ? s'enquiert ma tante.

— Vous la connaissez ?

— J'ai vécu les douze premières années de ma vie dans la maison d'en face.

— Dans l'atelier d'orfèvrerie ? demande la musicienne.

Ma tante et moi nous nous regardons, stupéfaites.

— Comment ça, l'atelier d'orfèvrerie ?

Le marionnettiste se lève et ouvre une des portes-fenêtres.

— Regardez vous-mêmes, dit-il.

De l'autre côté de la rue nous pouvons voir le mur extérieur de l'autre maison, des fenêtres clôturées, quelques platanes et un long conduit de cheminée, qui apparemment fonctionne.

L'adolescent s'avance et dit :

— Nous ne savons rien de ces gens. Personne ne les a jamais vus. Quand la cheminée fume, ça veut dire qu'ils sont là, qu'ils travaillent.

Au même moment, ma fille entre en courant, suivie par le fils du marionnettiste, beau comme Joseph. Je me rappelle l'épisode de l'histoire de Joseph où son arrivée soudaine dans le harem perturba à tel point les femmes du gynécée, occupées à éplucher des oranges, qu'elles se coupèrent les mains, ne pouvant détacher leurs yeux de son visage. Je suis sauvée, je n'épluche aucune orange.

— Pourquoi personne ne les a jamais vus ? questionne ma fille.

Le fils du marionnettiste nous salue et ajoute :

— Parce qu'ils sont maudits.

— C'est quoi, « maudits » ?

La sonnette de la porte retentit. Le marionnettiste sort pour recevoir le directeur de l'Organisme du théâtre, qui vient en visite.

230

— Mon frère est calligraphe, dit la musicienne en montrant un mur décoré de calligraphies.

Le marionnettiste revient dans le salon en compagnie du haut fonctionnaire. Celui-ci porte la barbe fournie des représentants officiels, la chemise à col mao et la raie des cheveux dessinée à l'extrême gauche de la tête. Je n'avais jamais su la raison de cette coiffure particulière jusqu'au jour où un ami me l'apprit : se peigner les cheveux avant la prière est une action considérée comme pieuse et bénéfique. Aussi les fanatiques, pour insinuer qu'ils passent leur temps à prier, dessinent-ils, avec un soin méticuleux, cette raie singulière. Encore un signe.

Malgré sa tenue islamique, l'homme me regarde dans les yeux et me sourit dès la deuxième phrase. Je me dis que, si on lui mettait un turban arabe, il ressemblerait aux effigies idéalisées de l'imam Ali, le gendre du Prophète.

Nous prenons enfin place en face du vieil homme. Dans un coffre en bois marqueté, il saisit délicatement deux figurines : un jeune homme aux yeux soulignés de khôl, portant une tunique de soie turquoise sur des pantalons écarlates et des bottes bien cirées, ainsi qu'une jeune fille au visage de porcelaine, aux cheveux blonds, vêtue d'une longue robe en velours mauve. M. Fayâz glisse sa main dans la robe du héros, Amir Arsalân, que tout le monde connaît, et commence à l'animer. Amir Arsalân s'agite, se démène et annonce son départ immédiat pour l'étranger. Je pense inévitablement à son passeport.

En un battement de paupières, Amir Arsalân arrive dans le *Farang*, c'est-à-dire en France, où il rencontre Farokh Laghâ, la fille du roi. Les deux personnages s'approchent, se fuient, s'appellent, se querellent, sous les yeux fascinés de Kiara.

Mon téléphone sonne et affiche le numéro de mon mari à Paris. Je me lève avec des excuses. Le marionnettiste interrompt son spectacle. Je recule de quelques pas et j'entends, comme d'habitude, la même voix et la même question :

— Et alors, ton passeport ? Tu en es où ?

Comment lui expliquer que Sattâr (il ignore que mon contact ressemble à Sattâr, et d'ailleurs il ignore aussi qui est Sattâr) est boudé par le colonel, depuis qu'il lui a révélé les résultats de l'analyse de l'autopsie de son cousin, et que, par conséquent, il ne peut plus grand-chose pour moi ? Comment expliquer ça au téléphone, à mi-voix, dans une maison étrangère ?

— Quand est-ce que tu rentres ? Tu le sais, au moins ?

— Bientôt, j'espère. Il faut juste que je trouve quelqu'un de haut placé à l'Organisation générale des passeports.

— Et ton colonel ?

— Ça n'a pas marché.

— Pourquoi ?

— Parce qu'il est en deuil, je t'expliquerai.

— Tu seras bien là mardi ?

— Je ne peux rien te promettre, pour le moment je n'ai personne. Il se peut que ça prenne plus de temps. Un mois, peut-être.

— Un mois ?

— Je t'expliquerai. Ne m'en veux pas. Je fais vraiment tout mon possible.

232

Je change de sujet en informant mon mari que je me trouve en ce moment même chez M. Fayâz, le plus grand marionnettiste iranien, lequel habite une maison typiquement persane, entouré d'enfants tous plus beaux les uns que les autres, chacun possédant un don artistique. M. Fayâz se lève, met la main sur la poitrine, en signe d'humilité, et demande s'il peut s'entretenir avec mon époux. Je lui passe aussitôt le portable. Il engage la conversation en français et explique qu'il aimerait beaucoup travailler avec mon mari sur un spectacle de marionnettes inspiré de *La Conférence des oiseaux*.

Soudain, une femme corpulente, en foulard et tailleur, entre dans la pièce et présente ses excuses pour son retard.

— Mon cours s'est achevé il y a une heure et demie. Et ce n'est que maintenant que j'arrive. J'espère que l'on s'est bien occupé de vous, ajoute-t-elle, navrée.

Elle est la maîtresse de maison. Je la rassure. Malgré son absence, nous avons été très bien reçus. Le marionnettiste met la main sur le portable, désigne ma tante et lui apprend que celle-ci habitait, pendant son enfance, dans la maison d'en face.

— Vous avez pu vous connaître, alors ? demande sa femme.

— Nos mères se fréquentaient, dit-il. La sienne, que Dieu lui fasse miséricorde, est morte très jeune et puis ils sont partis.

J'évite de regarder ma tante. Je suis certaine qu'elle pleure.

Le vieux marionnettiste, qui devine quelque embarras, quelque tristesse, reprend :

— Mon épouse, qui est en retard, rentre de son cours coranique. Elle enseigne le Coran à un groupe de jeunes femmes.

Subitement, je me sens gagnée par l'envie d'apprendre le Coran avec elle, dans cette maison où un jeune Joseph s'exerce à la calligraphie, où les yeux enivrés d'une jeune femme se posent doucement sur une miniature inachevée, où l'émissaire même de la beauté persane joue du *setâr*, où l'hôte, excellent francophone, projette de travailler sur l'adaptation française de l'œuvre d'Attâr, où l'homme d'appareil ressemble à l'imam Ali et ose sourire à une femme en la regardant dans les yeux.

Comme tout pourrait être simple, me dis-je. Comme tout pourrait être beau.

Je suggère à ma tante de s'inscrire au cours de Mme Fayâz. Elle pince ma main, pour me faire taire.

À peine le marionnettiste a-t-il salué mon mari puis raccroché le téléphone qu'il me questionne :

— Vous avez un problème de passeport ?

Je commence par un *târof* :

— Non, ce n'est rien, ça va s'arranger.

Ma tante me pince une nouvelle fois, pour m'encourager à accepter l'éventuelle aide de cet homme. Elle n'a pas tort. Nous sommes en présence d'un officiel, d'un vrai responsable. Je leur raconte brièvement ma mésaventure et l'imminence d'une conférence que je dois donner à Paris sur les rapports du soufisme et du bouddhisme.

— Ah, comme j'aimerais assister à cette conférence ! soupire le marionnettiste.

Je promets de lui en envoyer une copie. « Joseph » inscrit sur un bout de papier leur adresse électronique et me la tend.

Aussitôt, le directeur de l'Organisme du théâtre tire son portable de sa poche, compose un numéro, et demande à son interlocuteur d'un ton calme mais ferme :

— Il faut accompagner demain matin Mme Tajadod à l'Organisation générale des passeports. Je vous la passe. Elle vous expliquera de quoi il s'agit.

Je ne parle pas de Sattâr, du cadavre du cousin du colonel, de la fausse alerte à propos de la section numéro 1. Je cache tout cela.

— Mon passeport est resté bloqué depuis une semaine à Yâft Âbâd et je dois partir ce mardi, dis-je simplement.

— À Yâft Âbâd ? Pourquoi à Yâft Âbâd ? fait une voix d'homme qui semble étonnée.

— Je connaissais soi-disant quelqu'un là-bas. Mais il n'a rien pu faire.

— Rendez-vous demain à 10 heures devant l'Organisation générale des passeports.

— Excusez-moi, comment je vous reconnaîtrai ?

Un espoir vient de naître. Dans le même temps je me rappelle que demain, là-bas, je devrai me procurer un formulaire pour le steward, celui qui conduit une *âjâns*, mais qui n'est pas chauffeur de taxi.

— Moi, je vous reconnaîtrai, me répond la voix d'homme.

Ma fille se jette sur le portable de l'officiel et le supplie de lui montrer ses photos. L'homme accepte et fait défiler, sous mes yeux, les photos du président Khâtami, du chef du Parlement et de sa propre femme, les cheveux bien cachés sous un foulard. En un rien de temps, Kiara retire mon portable de mon sac, appuie sur le bouton de la galerie des photos et, sans que je puisse intervenir, exhibe les miennes, en bikini dans une rivière de l'Hérault ou, à table, trinquant joyeusement avec mon mari, un verre de vin à la main.

Je songe un instant que mon rendez-vous de demain est sans doute annulé, qu'il me faudra plutôt contacter l'oiseleur.

Un jeune homme, à ce moment-là, entre précipitamment dans la pièce. Il est essoufflé et porte un exemplaire de la traduction en persan du livre de Luis Buñuel, *Mon dernier soupir*. Il s'assied.

— Voici mon fils aîné. Il est cinéaste, déclare M. Fayâz.

Ma tante me pince encore une fois. Elle redoute que j'engage la conversation avec le jeune cinéaste. Si l'on attaque Buñuel, avec lequel mon mari a travaillé pendant vingt ans, nous en aurons pour toute la nuit. Ma tante s'inquiète pour mon oncle. Il est préférable que nous partions. Je promets au marionnettiste de le revoir à Montpellier, tout en espérant que la famille entière aura la possibilité de se déplacer.

L'officiel prend ma fille dans ses bras.

— J'ai un garçon de sept ans. Votre fille sera ma bru, me déclare-t-il.

Tout le monde le souhaite :

— *Inshâllâh.*

Je ne dis pas que j'ai peut-être d'autres rêves pour elle. Mais je me réjouis de le voir indifférent à mes péchés manifestes : le bikini et le vin.

Nous remercions chacun des membres de la famille et nous prenons congé. Une fois dehors, ma tante s'arrête sur le seuil de son ancienne maison. Je me tiens à côté d'elle, main dans la main avec ma fille. Derrière nous se trouvent l'officiel, Hâshem et l'adolescent. Ma tante pose sa main sur l'un des deux cadenas, celui qui, en forme d'anneau, est destiné à l'usage des femmes. Elle le manipule et soudain la porte s'ouvre. L'adolescent se rapproche et nous encourage à entrer :

— Allez-y ! C'est la première fois que je vois cette porte s'ouvrir.

— Mais nous ne sommes pas chez nous. Il faut avertir les propriétaires, dis-je.

L'officiel avance d'un pas et crie :

— Il y a quelqu'un ? Il y a quelqu'un ?

Ma tante, qui n'a pas dit un mot, referme soudain la porte.

— Allons-y ! fait-elle. La nuit tombe. Nous sommes en retard.

— Si jamais vous voulez visiter la maison, propose l'officiel, je pourrai, grâce à mes collègues du Patrimoine, vous arranger ça.

— Je vous remercie infiniment. *Badan, badan*, plus tard.

À la sortie du vieux quartier, l'officiel monte dans sa voiture de fonction. Nous nous dirigeons vers la voiture de Hâshem. Avant de nous quitter l'adolescent demande à ma tante :

— Comment avez-vous fait pour ouvrir la porte ?

— Trois tours à droite et un tour à gauche. Ça n'a pas changé depuis soixante ans.

Sur tout le trajet du retour, personne ne parle. Hâshem lui-même respecte pour une fois notre silence. Kiara s'endort sur mes genoux.

Nous arrivons. Hâshem s'enfonce dans le parking. Ma tante, Kiara et moi prenons l'ascenseur. Là, comme d'habitude, nous retirons d'un même geste nos foulards.

Je demande distraitement à ma tante :

— Pourquoi tu n'es pas entrée dans la maison ?

— Il y avait Kiara, toi et moi sur le seuil. Ma sœur, ma mère et ma grand-mère étaient à l'intérieur. Je les ai vues toutes les trois, à nos âges d'aujourd'hui.

Sa sœur (qui était ma mère), sa mère et sa grand-mère sont toutes les trois mortes. Aussi a-t-elle refermé la porte.

Dimanche

Vers 8 heures du matin, ma tante me réveille et me demande, au téléphone :

— Ce que j'ai vu et entendu hier soir... Dis-moi, cela appartenait au sommeil ou à l'éveil ?

Comme tous les Iraniens, dans certains moments essentiels, je peux m'exprimer en citant nos grands poètes. La majorité de mes compatriotes citent Hâfez. Ma mère m'a appris à évoquer Roumi, qui était pour elle le maître des maîtres.

Je réponds à ma tante, qui comme moi connaît cette phrase :

— « Cet état de transparence est semblable au moment où tu entres dans le sommeil, où tu te quittes pour entrer en toi-même, où tu t'entends et où pourtant tu crois qu'un autre vient de te révéler un secret. Il n'y a pas de frontière entre l'éveil et le sommeil. »

Elle a terminé la phrase avec moi et elle enchaîne, avec beaucoup d'aisance :

— N'oublie pas d'apporter un petit cadeau à la contrôleuse.

Ma fille, Mohtaram et Hâshem se préparent déjà pour se rendre, comme chaque jour, chez ma tante. Hâshem me propose de nouveau de me déposer.

— Tu n'as toujours pas compris, rappelle Mohtaram à son époux, que d'un côté il y a le plan de la circulation limitée et de l'autre le système des chiffres pairs et impairs. Aujourd'hui, c'est dimanche. Et tu ne peux nous conduire qu'à ASP.

Elle m'appelle une *âjâns*. Je prends deux boîtes de café pour les contrôleuses de l'Organisation générale des passeports avant de descendre. Je passe devant le regard compatissant de M. Eskandari.

— Combien de fois ils vous ont fait aller et venir ! déplore-t-il.

Le chauffeur d'aujourd'hui n'est ni Gheysar, ni celui qui se fait surpayer, ni le steward en manque de formulaire de sortie, mais un septuagénaire aux manières calmes, à la moustache blanche, portant une chemise bleue boutonnée jusqu'au cou. Le portrait supposé de l'imam Ali est suspendu au rétroviseur de sa voiture, une vieille Peykân. En l'observant, je remarque, en effet, que le directeur de l'Organisme du théâtre, que j'ai rencontré hier, ressemble, définitivement, au « Lion de Dieu », l'imam Ali.

J'appelle Narguess, de la voiture, et je lui raconte l'impatience de mon mari, ma rencontre avec un haut responsable de la culture et sa promesse de tout régler.

— Il le fera. Il le fera. Et n'oublie pas que, ce soir, nous devons nous rendre au vernissage de ce peintre qui travaille sur les cadavres.

— Quels cadavres ?

240

— Ceux du tremblement de terre de Bam. Je viendrai te chercher. Tu es sur mon chemin.

Là aussi, je sais que je ne suis pas sur son chemin. Mais bon, elle le fera de toute façon.

— Excusez-moi, madame, me dit alors le chauffeur à moustache blanche. Je me permets de vous donner un ou deux conseils, parce que j'ai l'âge de votre père.

À quoi bon lui dire que mon père était né en 1886 ? La discussion pourrait durer jusqu'à mardi et m'empêcher de rentrer à Paris.

— « Ô Dieu, fais en sorte que mon ami rentre en bonne santé et me délivre de la chaîne des reproches. » Madame, c'est Hâfez qui dit ça. Il ne faut pas s'énerver si le *yâr*, l'ami ou l'époux, s'impatiente de vous.

— Ce n'est pas moi qui m'énerve, c'est lui.

— Hâfez dit à ce propos : « La violence des tendres c'est de la bienveillance, de la générosité. »

Ainsi, ce matin, Hâfez nous accompagne sur tout le trajet. Nous ne sommes pas les seuls, dans Téhéran. Nos poètes sont nos compagnons, nos amis, nos parents.

Je descends et, comme toujours, je demande au chauffeur de m'attendre. Je m'interroge : comment l'employé de l'Organisme du théâtre pourra me reconnaître ? J'examine les vitrines des magasins : du matériel de sport, des chaussures Adidas (j'ai oublié le document destiné à Gérard Depardieu dans le *showroom* de la décoratrice spécialisée en mobilier ethnico-asiatique !), des tee-shirts, de l'électro-ménager, des peluches. J'entre dans la dernière boutique, mais aussitôt ma petite voix me dissuade d'acheter un Mickey et de pénétrer avec cette souris américaine dans les locaux administratifs. Je sors. Un homme m'aborde :

— Madame Tajadod ?

— Oui, bonjour.

C'est l'homme que j'attends. Il se présente. Il a une soixantaine d'années et porte des lunettes rondes ainsi que des cheveux longs, grisonnants. Il pourrait très bien être un John Lennon rescapé de l'attentat. Il tient, à la main, un emballage cadeau volumineux.

— C'est un auto-cuiseur, me dit-il.

— Ah bon ?

— Oui. Il est destiné à l'employé qui est allé à Yâft Âbâd, ce matin à 7 heures, pour récupérer votre passeport.

Aussitôt j'en conclus qu'il me faut rembourser l'auto-cuiseur et même peut-être ajouter un petit quelque chose pour les frais de déplacement de l'employé en question. Après tout, pourquoi l'Organisme du théâtre financerait-il le coût de ce périple ?

— Voudriez-vous avoir l'amabilité de me laisser participer aux frais ? lui dis-je.

— Mais non, vous êtes folle ? Les auto-cuiseurs, les robots multifonctions, les mini-machines à coudre c'est notre menu de tous les jours, c'est notre lot quotidien.

Nous nous dirigeons chacun vers le poste de contrôle qui nous est affecté. J'entre dans la cabine des femmes. Je salue les contrôleuses. Celle qui m'a reconnue hier me dit :

— Tu as bien fait de ne pas ramener ta mère. Ce genre d'endroits les fatigue.

J'ouvre machinalement mon sac. Elle me fait signe de le refermer. Je leur donne à chacune une boîte de café.

— Une petite chose qui vient de Paris.

— C'est quoi ?

— Du café.

— Du café français ? s'enquiert celle qui m'est familière, en faisant signe à une visiteuse d'effacer son rouge à lèvres.

— Oui, il vient de Paris.

— Ce n'est donc pas du café turc ? fait observer l'autre.

— Non, ça n'a pas le même goût.

— Fais rentrer cette mèche blonde dans ton foulard, ordonne-t-elle à une nouvelle arrivante. (Puis elle revient à moi :) Et comment on le prépare ?

Soudain, je réalise qu'elles ne doivent avoir ni cafetière électrique, ni cafetière à pression. Dois-je sortir et m'approvisionner en cafetières dans le magasin d'à côté ? Ma petite voix me l'interdit.

— Une dose de café par personne et par tasse, dis-je hâtivement avant de m'en aller.

Dans la cour intérieure, je rejoins John Lennon qui m'indique un bureau, sur la gauche.

— Il faut commencer par là. Vous allez faire la queue dans le couloir, comme tout le monde. Moi, je reste à l'écart. Quand votre tour arrive, vous entrez et vous montrez au lieutenant, qui est d'une humeur de chien, votre lettre d'introduction. Ne lui dites surtout pas que vous êtes accompagnée.

Il me laisse dans le couloir et disparaît. Avant moi attendent vingt personnes. J'ai envie d'appeler

243

quelqu'un au secours. Mais je n'ai plus personne. Le colonel Âzardel est brouillé avec Sattâr et même l'oiseleur ne pourrait plus rien pour moi. En échange d'un auto-cuiseur, mon passeport a quitté le Bureau de Yâft Âbâd.

Mon tour arrive assez rapidement, car le lieutenant qui est d'une humeur de chien ne consacre pas plus d'une ou deux minutes à ses interlocuteurs. Je m'avance vers son bureau. Il ne lève pas les yeux. Je lui tends ma lettre d'introduction. Il la lit rapidement, me la rend et, toujours sans lever les yeux, me déclare :

— *Mâdar*, mère, revenez dans une semaine.

Je veux protester. Mais je suis bloquée par *mâdar*, mère. C'est la première fois qu'on m'appelle ainsi. Je sors vieillie, abattue, voûtée, appartenant à une autre génération. Je retrouve John Lennon, assis sur les escaliers.

— Qu'est-ce qu'il a dit ? demande-t-il.

J'ai envie de lui confier qu'il m'a appelée *mâdar*. Mais je me retiens.

— Rien. Il a lu la lettre et il m'a dit de revenir dans une semaine.

— Parfait. Maintenant on peut attaquer.

Je ne comprends pas de quoi il se réjouit. Je suis toujours sous le choc de *mâdar*.

— Entre-temps, continue-t-il, j'ai donné l'auto-cuiseur à son destinataire et repris votre passeport. Mais comme je n'avais pas le droit de le garder, je l'ai restitué aux autorités pour que vous le récupériez officiellement.

Nous entrons dans le hall du rez-de-chaussée. John Lennon me désigne un guichet vide.

— Asseyez-vous là. Je vais appeler mon contact. Il va venir vérifier les données sur l'ordinateur et puis, si tout va bien, il vous donnera votre nouveau passeport. Ne lui parlez pas trop. OK ?

— OK.

Je m'assieds. Passeport à la main, un officier arrive, consulte, comme prévu, son ordinateur, et puis il s'en va. Je n'ai pas échangé un seul mot avec lui. Je cherche John Lennon. Il est accoudé à un long comptoir en train de boire un jus de fruits. Je le rejoins. Il m'offre le jus « exotique » et prononce mot pour mot la phrase de Sattâr :

— Vous savez, toute l'Europe est accro aux produits de cette marque iranienne.

— Je sais, je connais.

— Vous savez aussi que les Mon chéri, les chocolats à la liqueur, sont fabriqués ici ?

— Non, je ne savais pas.

— Si, si, je vous assure. Je le sais de source sûre.

— Je vous crois. Mais je voulais juste vous informer que l'officier ne m'a pas restitué mon passeport.

— Parfait.

Pourquoi est-il satisfait ? Pourquoi tout est-il parfait ? Je n'en vois toujours pas la raison.

— Vous ne lui avez pas parlé, n'est-ce pas ? ajoute-t-il en m'offrant le jus exotique.

— Non, pas un mot.

— Parfait.

Il sort. Je le vois composer un numéro sur son portable. Je finis mon jus en me reprochant de m'être laissée berner sur la fabrication des Mon chéri en Iran.

S'il échoue pour mon passeport, je lui certifierai qu'il est impossible qu'un pays islamique accepte de produire de la liqueur sur son territoire. Sûre et certaine.

J'entends soudain, du fond de la salle, mon nom, appelé au micro :

— Tajadod, guichet numéro 5 !

Je ne sais que faire. Je vais chercher John Lennon. Il me fait signe de me rendre au guichet. J'y vais. L'officier vérifie mon nom et me tend le passeport. Je le prends. Je l'ouvre. Il s'agit bien du mien.

L'affaire du passeport vient d'être réglée.

Nous traversons la cour avec John Lennon. Je le remercie, me gardant de mettre en doute sa révélation à propos des Mon chéri. J'entre dans la cabine des femmes.

— Ça y est ! J'ai mon passeport.

— Tu pars quand ?

— Après-demain.

— Un conseil, va et ne reviens plus, intervient celle que je commence à connaître.

Puis elle se lève et récite dans des mes oreilles la prière du départ :

— *Fallâh-o kheyron hâfezan va hova arham-o râhemin.*

Je l'embrasse, ainsi que sa collègue. Je quitte l'Organisation générale des passeports les larmes aux yeux. Un sentiment de victoire m'envahit. J'ai réussi, par mes propres contacts, à écourter de trois semaines le délai d'attente. Je me dis que dorénavant je pourrai tout réussir : à faire changer la passementerie des chaises, à ne pas monter dans un taxi dont le chauffeur est en position horizontale, à récupérer mes terres.

Je propose à John Lennon de le déposer. Il accepte et nous montons dans l'*âjâns*.

— *Vous êtes lion ou renard ?* Vous avez gagné ou vous avez perdu ? me demande le chauffeur.

— Ça y est, c'est réglé.

— Voilà pourquoi Hâfez dit : « La grâce divine exerce son pouvoir, l'ange messager apporte la bonne nouvelle. »

Subitement ma tension chute. Je m'en veux de ne pas avoir pris de barres de chocolat ou de fruits secs. John Lennon donne l'adresse de l'Organisme du théâtre au chauffeur avant de me demander soudain :

— Comment va Peter ?

— Peter ?

— Oui, Peter, Peter Brook.

Je lui réponds qu'il va bien, tout en tâchant de trouver un lien entre Peter Brook et John Lennon.

— Et Wilson ? Et Stockhausen ? Et Merce Cunningham ?

— Ils vont tous bien, autant que je sache.

— Nahâl *khânoum*, vous savez pourquoi je les connais tous ? Parce que, à Shirâz, pour le festival, c'était moi, déjà, qui m'occupais des paperasses. Je les ai tous connus et de près.

L'époque de laquelle il parle s'étend sur une dizaine d'années, de 1966 à 1976. Chaque année, à Shirâz, se déroulait un grand festival artistique. Ma mère, dont les pièces y étaient également jouées, m'y emmenait aussi souvent que possible. Ce fut là que, accompagnée de ma meilleure amie, nous découvrîmes en effet vers l'âge de douze ans le *katakali*, le *nô*, le *qawwali*, la musique électro-acoustique, le théâtre

« pauvre », la danse contemporaine, Grotowski, Kantor, Terayama…

Plus tard, installée à Paris, il me semblait avoir déjà tout vu. La France découvrait Bob Wilson, alors que l'Iranienne que j'étais avait vu, en 1972, des heures entières de son spectacle *Ka Mountain and Gardenia Terrace* (celui qui durait sept jours et sept nuits) enroulée dans les châles de ma mère, à Haft Tan de Shirâz.

Les dix années dont parle John Lennon correspondent à un âge d'or de ma vie, à un temps où tout était à sa place, où les terres du Mâzandarân nous appartenaient encore, où ma mère écrivait, peignait et chantait, où mon père travaillait sur l'édition critique d'un catalogue d'ouvrages rédigé au Xe siècle, où ma tante et mon oncle roulaient en Thunderbird blanche dans un Téhéran de trois millions d'habitants, où ceux qui mouraient étaient enterrés sur leur sol natal, où la Révolution n'avait pas eu lieu.

— En fait, maintenant que nous nous connaissons un peu mieux, je peux enfin vous dire combien j'ai regretté la mort de votre mère.

C'en est trop. Je sens que je vais craquer.

— Lorsque j'ai annoncé au bureau que j'allais vous voir aujourd'hui, tous, jeunes et vieux, vous ont envoyé leur salut. Vous leur feriez un immense plaisir si vous montiez boire un verre de thé.

Nous arrivons devant l'entrée de l'Organisme du théâtre.

— *Badan, badan,* une autre fois. Maintenant je n'ai aucune raison pour rester plus longtemps en Iran.

Grâce à vous, je pars après-demain, et je n'ai encore rien fait.

Il me prend la main et la garde un long moment entre les siennes.

— Dites bonjour à tout le monde, à mes anciens directeurs, reprend-il. Dites-leur que nous ne les avons pas oubliés, dites-leur que nous leur devons beaucoup.

Il descend. Je le vois s'éloigner. Il se retourne une fois et m'adresse un geste de la main. Puis je le perds de vue. Le chauffeur, qui a tout entendu, cite encore un vers de Hâfez :

— « La fin du temps de la tristesse est annoncée, *cela* est fini et *ceci* aussi finira. »

L'*âjâns* me dépose chez ma tante. La guerre du *târof* se déclenche entre le chauffeur et moi. Il finit par céder. Je règle.

Hâfez s'en mêle :

— « Puisse demeurer en moi le souvenir de celui qui, au moment du voyage, ni ne m'évoque, ni n'égaye mon cœur par un adieu. »

Je monte dans l'appartement où, après les accolades avec les femmes de la famille de Mohtaram et les salutations avec la gent masculine, je cours exhiber mon passeport à mon oncle. Celui-ci met ses lunettes, lit minutieusement les données, feuillette toutes les pages et conclut :

— Je vous avais bien dit qu'il n'y aurait aucun problème. Il suffit, avant toute démarche, de considérer *le lourd et le léger*, le pour et le contre, et ensuite d'œuvrer intelligemment.

Je ne sais pas si j'ai un jour vraiment considéré *le lourd et le léger*. Je ne sais pas non plus si, durant toute cette affaire, j'ai œuvré intelligemment. Une chose, en revanche, est sûre : j'ai mon passeport.

— Ça signifie que tu pars après-demain ? murmure ma tante avec tristesse.

Kiara, à qui Hamid est en train d'enseigner les positions de la prière musulmane, accourt vers moi.

— Nous rentrons à Paris ? On va voir mes chats ? s'exclame-t-elle.

— Vous ne pouvez pas rester un jour de plus ? interroge ma tante.

Cela me rappelle ma mère, laquelle, à la veille de chacun de mes départs, me demandait de prolonger mon séjour de vingt-quatre heures. Ce qu'invariablement je faisais. Jusqu'à son grand départ, à elle.

— Non, non, je veux rentrer voir papa, riposte ma fille.

J'appelle mon mari et Narguess pour leur annoncer la bonne nouvelle. Mon mari semble enfin satisfait, précisant, tout de même, que jamais il ne comprendra ce pays.

— En fait, maintenant que c'est terminé, combien je dois donner à Sattâr ? dis-je à Narguess.

— Rien, tu ne lui donnes rien. Sans le type de l'Organisme du théâtre ton passeport serait encore au Bureau de Yâft Âbâd.

— Je peux quand même le remercier ? Il a fait tout ce qu'il a pu !

— Oui, appelle-le, ton Sattâr. Jusqu'à hier il fallait se mettre à genoux pour que tu l'appelles, aujourd'hui c'est toi qui te proposes de le faire. Si tu y tiens tellement, appelle-le, ton Sattâr.

Je l'appelle. Il ne répond pas. Je ne l'appellerai plus. Narguess n'a pas tort. Depuis toujours, j'ai un problème avec le téléphone. Si je dois absolument appeler quelqu'un, et que celui-ci est occupé ou absent, je considère que le simple fait de téléphoner suffit. J'ai fait le geste. Il est rare que je réessaye. Je suis au comble du bonheur quand je laisse un message à mon correspondant occupé ou absent. Dans ce cas, je sais que j'ai fait ce que je devais et que, par conséquent, je n'appellerai plus.

Toute la famille est informée de mon exploit administratif. La preuve en est : nouvel appel de la cousine qui veut elle aussi renouveler son passeport :

— Bravo, je te félicite ! Tu t'es vraiment bien débrouillée.

— Merci.

— En fait, le numéro de ton docteur ne répond toujours pas. J'ai essayé mille fois, rien. Il est bien médecin, ou alors c'est un de ces hommes qui portent une cravate et se font appeler monsieur le docteur ?

— Il ne porte pas de cravate.

— Tu l'as revu ?

— Oui, mais ce n'est pas lui qui m'a arrangé l'affaire.

— C'est qui alors ?

— Quelqu'un de l'Organisme du théâtre.

— Tu l'as payé ?

— Non.

— Comment ça ? Ici, si tu ne payes pas rien ne se fait.

Comment lui expliquer le dévouement de John Lennon ? Par quoi commencer, par les nuits du Festival de Shirâz, où, sur la tombe de Hâfez, à la lueur des bougies, Ravi Shankar jouait jusqu'à l'aube ; où, au lever du soleil, un son avestique, émergeant des caveaux de Persépolis après deux mille cinq cents ans de silence, conviait les êtres à se réveiller ?

— Je confirme. Je n'ai pas payé.

— Tu m'as fait perdre une semaine avec ton soi-disant docteur. Maintenant, sois gentille, appelle cet homme et demande-lui de m'aider. À moins que tu ne veuilles pas m'épauler.

— Je regrette. Je ne pense pas cela soit possible.

— Bon voyage quand même.

Elle raccroche et empoisonne le goût de ma victoire. J'en veux à ma tante d'avoir crié sur tous les toits l'obtention de mon passeport.

— Ce n'est pas moi, c'est Hamid, réplique-t-elle.

Mon oncle se redresse et déclare d'un ton ferme :

— Voyons, est-ce que les autres nous tiennent au courant des relations qu'ils ont avec untel et untel ?

Il met les doigts sur ses lèvres, les déplace le long de sa bouche.

— Bouche cousue, ajoute-t-il.

— Eh oui, il suffit que nous mettions le bout de notre doigt dans le nez pour que tout Téhéran s'en alarme, dit ma tante.

— Il ne faut pas se mettre le doigt dans le nez, renchérit ma fille.

Narguess appelle pour m'emmener au vernissage des cadavres de Bam. Je prends congé de ma tante, de mon oncle, de ma fille et de toute l'équipe de Mohtaram.

— Ces dernières heures, tâche de les passer avec nous, suggère avec tristesse ma tante.

Je sors, meurtrie par l'incompréhension de ma cousine et la remarque de ma tante. Dans l'ascenseur, je me rappelle que j'ai, tout à l'heure, totalement oublié de me procurer un formulaire de passeport pour le steward-chauffeur. Je me rappelle aussi ma distraction : j'ai offert aux contrôleuses un cadeau dont elles ne pourront jamais se servir. Je n'oublie pas que j'ai négligemment perdu l'étude de marché concernant l'implantation d'Adidas en Iran. Je me souviens de ne pas avoir tenu ma promesse de gratifier le policier du Bureau de Yâft Âbâd d'un ventilateur. Je me rappelle...

— Allez, montre-moi ce passeport, dit Narguess, en débarrassant le siège avant de la canne anti-vol et d'une série de jupes dans des housses, revenant de la teinturerie.

Je monte dans la voiture et j'exhibe mon trophée. Elle regarde ma photo et en paraît satisfaite.

— Je suis finalement allée chez le disquaire et j'ai échangé le coffret de Delkash. J'ai aussi acheté ça. Écoute.

Elle met un CD de Fereydoun Foroughi, le chanteur de mon adolescence. En deux secondes à peine, j'ai quatorze ans. Je me trouve dans le salon de la maison d'une amie. Les lumières sont éteintes. Je suis enlacée par mon amoureux. Sa barbe (déjà fournie pour son âge) se frotte à mon cou. Il fredonne quelques phrases : « Ton corps est comme l'heure du midi à l'été. » Son haleine sent la vodka. Mes mains sont dans ses cheveux, les siennes dans mes vêtements.

Il est le garçon le plus étonnant du lycée – le lycée français de Téhéran, un des rares qui fût mixte. Il est révolutionnaire, façon Che Guevara. À l'école, il porte, à l'instar de son idole, la parka des militaires, jusqu'aux grandes vacances, jusqu'au début du brûlant été de Téhéran. Toutes les filles, même les plus âgées, le courtisent. Dans la salle de classe, quand il daigne répondre au professeur, entre deux joints qu'il roule sur place, c'est toujours pour impressionner l'enseignant, pour aller, comme sans y toucher, au-delà d'une réplique inscrite dans les manuels pédagogiques et apprise la veille. Dans la poche de sa parka, outre des mégots de cigarettes, traînent toujours un ou deux romans. Pendant le cours il est assis au fond, à côté d'un malabar obtus qui a redoublé trois années de suite. Mon amoureux ne possède ni livres scolaires, ni cahiers, ni stylos. Il vient à l'école comme on va au café. Il s'assied et se plonge dans ses livres, tandis que le maître recouvre nerveusement le tableau d'équations mathématiques. Si jamais il est interrogé, dérangé, il monte nonchalamment au tableau et achève tout aussi nonchalamment la démonstration du professeur de mathématiques.

Entre-temps, les filles ont eu le temps de noter le titre de son livre. Le lendemain, à la récréation, elles s'isolent toutes, qui sur une banquette, qui sur le gazon du grand jardin, qui sur des escaliers, pour lire, en solitude, le livre choisi par leur idole. Cela fait un an que nous sommes ensemble. Sa mère est morte quand il avait treize ans et demi, mon père six mois plus tard. De nos deuils nous fîmes une histoire d'amour.

— *Yavâsh*, ralentis, ralentis, laisse-moi passer ! lance Narguess à un conducteur.

Puis elle caresse le volant de sa Peugeot 607 (montée en Iran).

— Cette voiture a changé ma vie, reprend-elle. Pendant les embouteillages, je mets la climatisation, un CD, et je m'isole du monde extérieur. Dire que j'ai roulé trente ans de suite avec la vieille Toyota de mon père, les fenêtres ouvertes, aspirant des tonnes de gaz carbonique et transpirant des litres de sueur ! Quel gâchis !

Je quitte les bras de mon amoureux d'autrefois. Il glisse un mot entre mes seins, lesquels, pense-t-il, sont nés dans ses mains (il m'a connue avant, pendant et après leur développement). Je tire le billet et je lis : « Toi mes rêves, mes cauchemars aussi. »

Narguess se gare devant la galerie. Elle bloque le volant avec la canne de direction. Comme tout le monde ici, elle possède un anti-vol, mais le sien reste, malgré tout, discret et même minimaliste. Il m'est arrivé de voir des conducteurs installer pendant un bon quart d'heure une canne sur le volant, une sur le levier de vitesse, une sur la pédale d'embrayage, et vérifier ensuite les systèmes anti-vol d'alarme ainsi que d'immobilisation.

La galerie est bondée. Nous ne pouvons y pénétrer. De l'intérieur se fait entendre la voix de Cigala sur le piano de Bebo. Un vieux pianiste cubain et la star montante du chant andalou. Je m'étonne de la simultanéité de leur succès dans le monde hispanique et en Iran.

— Mais non, c'est à cause du CD que tu m'avais offert, rétorque Narguess. Des amis sont passés chez moi et l'ont gravé. Une semaine plus tard, tout Téhéran ne jurait que par Bebo et Cigala.

Je vois arriver mon ami Dâvar. Comme nous sommes en public, nous ne nous embrassons pas.

— As-tu avancé dans ta traduction ? demandé-je comme d'habitude.

— Je me suis arrêté à la phrase : « Nous sommes les propres juges, les bourreaux d'une justice qui règne ici-bas. »

Deux jeunes, aux cheveux courts, au visage maigre, portant des lunettes aux verres épais, s'approchent de nous. Ils saluent Dâvar et lui rappellent qu'ils l'ont rencontré au Salon du livre. Dâvar fait mine de les reconnaître et me présente à eux. Apprenant que je vis à Paris, ils demandent presque simultanément :

— Dans quelle mesure, à votre avis, Foucault et Deleuze ont-ils dialogué avec la folie ?

Comment leur dire que je n'ai lu ni Foucault, ni Deleuze, ou si peu ?

— M. Mâlek, continuent-ils, comment traduiriez-vous en persan le « rhizome », ce mot tiré du vocabulaire de Deleuze ?

— Rhizome, en botanique, est une tige souterraine, comme celle des bambous, répond Dâvar.

Je m'éloigne, essayant d'échapper à une conversation au cours de laquelle je ne pourrais que déshonorer la France. Je monte sur la pointe des pieds pour apercevoir l'intérieur. La foule est compacte et l'accès aux tableaux me paraît impossible. Comme d'habitude, Narguess est entourée d'amis, d'artistes et de collectionneurs. Un ami décorateur, pantalon cuir, lunettes fumées et Nike orange, me suggère d'acheter une des œuvres du peintre, les mains raides d'une morte jaillissant de la terre, afin de l'accrocher dans l'entrée de mon appartement. Je demande à réfléchir.

— Ton mari et toi, vous êtes tous les deux écrivains. Ça serait impressionnant de rentrer chez vous et de voir, d'emblée, des mains.

— Oui, mais ce sont des mains de morte.

— Ça serait quand même impressionnant. Ces mains tendues… Très fort.

Une jeune fille, dont le nez est intact, me demande :

— Vous êtes écrivaine ?

— Oui.

— Comment vous appelez-vous ?

— Nahâl Tajadod.

— Je n'ai jamais rien lu de vous.

— J'écris en français.

— En français ?

— Oui, j'habite là-bas.

— Est-ce que vous pensez que Woody Allen, dans *Deconstructing Harry*, a vraiment été fidèle à la pensée de Derrida ?

Où suis-je tombée ? Je devrais peut-être me cacher derrière la voiture de Narguess pour ne pas être forcée de confesser que je n'ai ni lu Derrida, ni vu *Deconstructing Harry*.

Le bruit nous parvient que toutes les œuvres sont vendues. L'être invisible qui anime ma petite voix respire. Nous venons d'échapper, elle et moi, à l'achat

257

d'une image ayant pour motif central les mains terreuses d'une sinistrée de Bam.

Dâvar s'approche avec les deux deleuziens.

— « Nous sommes des déserts, cite l'un d'eux, mais peuplés de tribus, de faunes et de flores. Et toutes ces peuplades, toutes ces foules, n'empêchent pas le désert, qui est notre ascèse même. »

Je leur présente la spécialiste de la « déconstruction », laquelle enchaîne :

— Le travail de la déconstruction assume de ne jamais se libérer pleinement de ce qu'elle démystifie : elle travaille à même les concepts, en joue pour les jouer contre eux-mêmes, cherche à *déplacer* les oppositions sans prétendre les anéantir.

J'aimerais tellement qu'ils m'interrogent sur Bernard-Henri Lévy et Arielle Dombasle, mais en vain. La discussion s'engage de plus belle entre les hommes aux deux paires de lunettes et la femme au nez bombé. Je leur demande juste de m'indiquer leur métier. Les hommes aux lunettes répondent :

— Étudiants en agronomie.

— Je suis avouée, dit la femme.

J'aurais dû dissimuler que j'étais un écrivain francophone. Mon ami décorateur, un jus exotique à la main, m'interpelle :

— Il faut absolument que tu goûtes à ce jus !

— Je le connais, dis-je, me rappelant Sattâr et John Lennon.

— Tu sais que l'Iran en exporte ?

— Je le sais. Mais ce que tu ne sais pas, c'est que les Mon chéri se fabriquent ici.

— Ça ne m'étonne pas. Ici, tout est possible. Tu as eu tort de ne rien acheter, ajoute-t-il.

— Mais je n'ai même pas pu rentrer ! lui dis-je.

— Ces deux mains, dans ton entrée, auraient fait sensation ! Je les voyais très bien !

— C'est quand même des mains de morte, dis-je.

— « Ce sont les organismes qui meurent, pas la vie », précise alors un des deleuziens.

Lundi

Avant-dernier réveil à Téhéran. J'essaie de préparer ma valise avant d'effectuer le rituel du *khodâhâfezi*, des adieux. Pour ce faire, il me faut impérativement appeler tous les gens que j'ai rencontrés lors de ce voyage. Si par malheur j'omets quelqu'un, je risque de m'exposer à son dédain si, dans un an, je le croise par hasard dans une soirée. Il me tournera le dos et évitera même mon regard. L'affaire des *khodâhâfezis*, pour moi qui fuis le téléphone, m'apparaît plus grave, plus solennelle que celle du passeport. Impossible d'y échapper.

Je commence par les photographes. Lorsque j'ai Morâd au bout du fil, je le remercie, ainsi que son collègue Hassan, pour tous les dérangements que je leur ai apportés. J'en profite pour l'informer de l'épilogue heureux de l'affaire de mon passeport et je conclus par l'annonce de mon départ.

— Déjà demain ? Mais ce n'est pas possible ! Je n'ai même pas fait le portrait de Kiara.

— *Badan, badan.* Je reviendrai dans trois mois, dis-je, même si je sais que je ne reviendrai que dans un an. Je voudrais surtout vous charger de dire un grand merci au docteur Askarniâ, sans lequel je n'aurais pas eu la possibilité de partir demain. Je l'ai appelé mais il ne répond jamais.

— Il n'a fait que son devoir, répond Morâd.

Son devoir ne consistait certainement pas à passer toute une journée avec moi dans le bureau de Yâft Âbâd, à annuler son cours à l'Université de la Police, à intercéder en ma faveur auprès d'un colonel endeuillé alors qu'il disséquait en même temps le cadavre de son cousin, à retourner, démoralisé et consterné, à l'Organisation générale des passeports et à m'offrir du jus exotique ainsi que des choux à la crème.

— Nahâl *khânoum*, vous venez de briser mon cœur en m'apprenant votre départ. Comme ça, à l'improviste. Nous ne vous laisserons pas partir sans venir vous voir. Accordez-nous cinq minutes cet après-midi.

J'ai envie de refuser, de trouver un prétexte pour qu'il change d'avis. De lui dire par exemple qu'une amie française se trouve justement en ville et que je dois évidemment la sortir, même aujourd'hui, même la veille de mon départ. Le prétexte de la visite d'un étranger, d'un *khâredji*, est infaillible. Personne ne peut résister à un argument qui met en jeu l'honneur du pays et son hospitalité légendaire. Je sonde quand même ma petite voix, qui pour une fois reste silencieuse et n'oppose aucune objection à la visite de Morâd et de Hassan.

— Venez quand vous voulez. Je ne bouge pas de tout l'après-midi, lui dis-je au lieu de : « Ne vous

262

déplacez surtout pas. Nous nous sommes déjà tout dit. »

— Nous viendrons cet après-midi sans faute, avec Hassan.

Toujours dans l'espoir de le dissuader, j'ajoute, à tout hasard :

— Qu'est-ce que vous faites de l'atelier ? Vous n'allez quand même pas le fermer ?

— Je demanderai à mon frère de venir s'en occuper. Pas de souci.

Je me rappelle que son frère, d'après les descriptions de Sattâr, ressemble trait pour trait à Alain Delon et j'imagine Rocco en personne derrière le présentoir des appareils photos de l'atelier Ecbâtâne.

— À cet après-midi alors.

Je raccroche. Je me sers du café. Je patiente quelques minutes, puis je m'attaque à ma deuxième obligation : appeler le directeur de l'Organisme du théâtre et le marionnettiste. Tous les deux m'offrent leur assistance pour organiser une visite de la maison de Sar Tcheshmeh. Je les quitte en leur promettant de les voir à Montpellier. Je reprends du café, ainsi que du courage, et j'appelle la cousine désagréable et offusquée. Je tombe sur son message d'accueil en anglais et je lui laisse un message d'adieu. Je sais que je devrai la rappeler plus tard et lui annoncer de vive voix mon départ. En dernier lieu, je téléphone à Narguess et Dâvar – ce qui n'est pas une corvée, loin de là. Eux aussi passeront cet après-midi.

Je commence à préparer mes valises, tout en réfléchissant aux diverses cachettes possibles pour les boîtes de caviar. J'ai l'habitude de les camoufler dans des chaussettes de sport puis de les glisser dans des baskets. Je sais pourtant que ce système de dissimulation est détectable au contrôle visuel des bagages. Mais je prends le risque.

Je déjeune avec Mohtaram, Hâshem et ma fille. Le couple se délecte à l'idée de m'accompagner le lendemain, de très bonne heure, à l'aéroport. Après un mois de service, Hâshem se sent enfin utile. Mohtaram, qui adore les virées à l'aéroport, repasse déjà son manteau préféré, celui qui arbore sur le devant un papillon en strass et qu'elle aime porter, révélant à gauche et à droite qu'il s'agit d'un cadeau de Nahâl *khânoum,* acheté à Paris. Elle ignore que le manteau vient de chez Tati et qu'il a été fabriqué, très probablement, en Inde.

Je m'offre une longue sieste avant de me réveiller et de prendre, comme le faisait ma mère, des fruits. Je me rends compte qu'avec l'âge je fais tout comme elle : une sieste suivie de fruits.

Le visiophone sonne. Mohtaram répond et m'annonce que M. Eskandari désire monter. Je me coiffe, je me parfume et j'attends le gardien dans le salon. Il arrive avec une boîte de gâteaux aux amandes, une spécialité kurde que je déballe et goûte aussitôt. Il est sur le point de partir lorsque son collègue nous prévient, toujours par le visiophone, que les photographes de l'atelier Ecbâtâne sont dans le hall. M. Eskandari, en personne, leur accorde l'autorisation de monter. Puis il revient dans le salon et me demande, une fois de plus, d'une voix douce, d'intervenir auprès d'eux pour qu'ils retrouvent son fils disparu en Suède. Je lui promets de le faire.

Hâshem leur ouvre la porte. La venue de trois *nâ mahrams*, trois étrangers, exige, estime-t-il, sa présence. Ce petit homme à tête de chihuahua semble s'apprêter à chaque instant à les défier. Parmi ceux qui veillent sur moi, qui s'occupent de moi, il se tient en première ligne.

Afin d'empêcher que mon offre de café ne soit suivie d'effet, Mohtaram se précipite dans le salon et, prenant les devants, annonce l'arrivée imminente des verres à thé. Je détecte aussitôt dans les yeux des nouveaux arrivants une amère déception : ils vont devoir boire le thé qu'on sert partout ailleurs. C'est pourquoi je demande fermement à Mohtaram de préparer, en dépit de tout, du café.

À peine ai-je donné cet ordre que Morâd fait passer longuement ses mains dans ses cheveux tandis que Hassan ajuste la chaîne en or qu'il porte au cou. J'y vois des signes de contentement. Ils vont jusqu'à embrasser M. Eskandari, lequel prend place sur un des sièges tapissés par les épouses des photographes en disant :

— *Bâ edjâzeh*, avec votre permission.

Les photographes s'assoient eux aussi. L'arôme du café français embaume tout l'appartement. Hâshem s'occupe de le servir accompagné de gâteaux aux amandes.

— *Inshâllâh*, quand est-ce que vous partirez pour la Suède ? demande M. Eskandari aux photographes.

Morâd avale une gorgée un peu trop chaude et lui répond :

— En fait, si ce n'est pas trop demander à Nahâl *khânoum*, nous avons maintenant besoin d'un certificat d'hébergement délivré par les autorités françaises.

Hâshem, qui n'aime pas que je rende service à d'autres qu'aux membres de sa propre famille, intervient, assez sèchement :

— Nahâl *khânoum* n'a pas que ça à faire. Quand elle est à Paris, elle ne doit penser qu'à son travail et à ses propres conférences, que suivent des centaines d'auditeurs.

Je ne sais pas d'où il tient cette information, malheureusement erronée.

— Je me demande parfois si les gens n'abusent pas de l'extrême gentillesse de madame, ajoute-t-il, toujours debout.

— Mais non, dis-je afin d'éviter que les photographes ne s'offusquent, je serai ravie de vous procurer un certificat d'hébergement.

Aussitôt je songe à deux après-midi perdus, l'un pour l'achat d'un timbre fiscal à l'Hôtel des impôts de la rue Saint-Lazare et l'autre à me chamailler avec l'employée de la mairie du IXe arrondissement. Je m'imagine en train d'expliquer que je ne peux pas fournir les trois fiches de paye exigées, du fait, simplement, que mon époux est écrivain et qu'il ne perçoit que des droits d'auteur. L'employée reste impassible lorsque je lui montre l'avis d'imposition, qui indique un chiffre assez conséquent, en précisant que quelqu'un qui n'aurait pas de travail ne pourrait jamais payer autant d'impôts. Rien à faire. Elle s'entête.

Je vais jusqu'à exhiber les relevés bancaires, les factures EDF et le titre de propriété de la maison, tout cela en vain. Je mets le doigt sur la superficie de la maison : rien n'y fait. L'employée ne me regarde plus et convoque la personne suivante. Je me retourne, espérant peut-être trouver un peu plus loin, dans le hall, près des ascenseurs, mon précieux Sattâr ou même John Lennon, son auto-cuiseur sous le bras. Je ne vois que deux ou trois femmes venues se renseigner sur une crèche ou demander quelque allocation. J'ai envie de citer au fonctionnaire la longue liste des personnalités que je connais, de lui dire que j'ai dîné avec le maire la veille, mais je me retiens. Je ramasse mes documents et je rentre à la maison en pensant à un autre moyen d'obtenir le certificat exigé. Voilà ce qui m'attend, je n'en doute pas.

Hâshem, après réflexion, réalise qu'un certificat d'hébergement accordé aux photographes ne m'empêcherait en rien de continuer à choyer ses propres enfants. Il proclame alors, avec de la fierté dans la voix :

— De toute façon, avec la position de madame à l'étranger, cela ne lui prendra que deux minutes !

J'évite de penser de nouveau à mes deux après-midis, que je sais perdus.

Brusquement, la porte s'ouvre sur ma tante, accompagnée du docteur Bashiri. Pour monter chez moi, elle n'a pas besoin de sonner. Tout le monde se lève. Je fais les présentations :

— Ces messieurs sont les propriétaires de l'atelier de photo Ecbâtâne, dis-je en désignant Morâd et Hassan.

— Nahâl *khânoum*, s'écrie le docteur Bashiri en exposant ses dents blanches, vous nous faites jouer dans un film ou quoi ? Oui, vous nous jouez des tours ! Vous qui fréquentez personnellement des professionnels de l'image, c'est à moi que vous demandez le tarif pour six photos d'identité ?

Morâd et Hassan se regardent et semblent aussitôt mesurer mon tourment lorsque j'essaie d'évaluer ce que je leur dois.

D'un geste de la main, Morâd écarte sa frange.

— Je ne connais pas le tarif en vigueur. Mais à l'atelier Ecbâtâne, c'est gratuit pour madame, conclut-il.

— *Âghâ* Morâd, intervient ma tante, est-ce que vous vous déplaceriez chez nous pour faire les photos d'identité de mon époux ?

— Monsieur ne peut pas marcher, précise Hâshem.

— Mon époux ne peut momentanément pas marcher, corrige ma tante, persuadée encore d'exorciser ainsi l'inguérissable infirmité.

— Pour Nahâl *khânoum*, nous irons jusqu'en enfer, déclare Morâd.

Hassan ferme les paupières : il est d'accord pour le voyage.

— *Inshâllâh* que vous évitiez l'enfer, ajoute M. Eskandari. Mais, une fois en Suède, n'oubliez pas mon fils.

— Monsieur Eskandari, je suis certaine que *âghâ* Morâd et Hassan *âghâ* feront de leur mieux pour repérer sa trace, dis-je avec un sourire aux photographes.

Ces derniers hochent la tête de concert.

— Eskandari *djoun*, reprend cependant Morâd, Eskandari adoré, nous sommes encore loin de la Suède. Mais dès que madame nous aura envoyé le certificat d'hébergement…

— Ah, ne commencez pas à mettre madame sous pression ! s'écrie Hâshem qui apparaît avec un nouveau plateau de café et d'autres gâteaux aux amandes.

Dans le même temps, le docteur Bashiri me tend une brochure qu'il tire de sa poche.

— Tenez, n'oubliez pas ça ! Il s'agit d'un document qu'il faut annexer à l'étude de marché que je vous ai remise l'autre jour. Il est destiné à la même personne.

Par discrétion, ou par prudence, le docteur ne cite pas le nom de Gérard Depardieu. Qui peut dire où nous eût entraînés la discussion ?

Je saisis le document et je le feuillette un instant par acquit de conscience.

— C'est très bien, fais-je. Tout est en anglais.

— Oui, j'ai passé tout mon week-end là-dessus. J'ai envoyé ma femme et mon fils chez mes parents, j'ai coupé mon portable, j'ai étalé trois ou quatre dictionnaires sur mon bureau et voilà, j'ai accouché de ce dossier.

Impossible de lui avouer que j'ai perdu le document original, et ce malgré ses vives recommandations sur l'aspect ultra-confidentiel de l'affaire.

— Mon cœur est clair. Je suis sûr que ça marchera, affirme le docteur Bashiri.

— Avec l'aide de Dieu, ajoute quelqu'un, sans même savoir de quoi il s'agit.

Ma tante, qui espère toujours chausser les pieds de tous les membres de la famille de Mohtaram de baskets Adidas, reprend, candide :

— Et si ça marche, *âghâ* Morâd et Hassan *âghâ* pourront également ouvrir un magasin de sport à Stockholm.

— Vous êtes dans le sport ? demande alors Morâd au docteur.

— Mais non, mais non. Il y a eu confusion. *Je ne mettrai jamais les pieds hors de mon kilim.* Je suis kiné et je mourrai kiné, répond, assez gêné, le docteur, qui appréhende sans doute de se faire voler son précieux concept : l'implantation d'Adidas en Iran.

— En tout cas, je peux vous assurer que vous pouvez compter sur Nahâl *khânoum* ! s'exclame Morâd.

Le téléphone sonne. Mohtaram arrive avec le combiné. C'est encore la cousine en quête de passeport.

— Tu ne veux toujours pas demander au type de l'Organisme du théâtre de m'assister ? insiste-t-elle, plutôt énervée.

— Mais c'est un fonctionnaire ! Il est aux ordres de ses supérieurs ! Je ne vois pas comment je pourrais lui demander cette faveur.

— Ce n'est pas difficile : de la même manière que tu l'as fait pour toi ! À moins que tu ne veuilles pas m'aider. Dans ce cas, dis-le-moi tout de suite !

Mohtaram, qui est restée dans le salon pour récupérer le combiné, dit au même moment, en me désignant :

— On ne la lâche pas. Elle s'en va demain et jusqu'au dernier moment il faut qu'on la sollicite.

— Et ton invisible docteur Mabuse, continue la cousine, tu ne pourrais pas faire l'effort de le contacter ? De le contacter toi-même ?

Elle est évidemment convaincue que je lui ai donné un faux numéro.

— Justement, dis-je, je suis assise en face d'un très bon ami du docteur Askarniâ. Je te passe *âghâ* Morâd. Tu n'as qu'à lui préciser ce que tu veux.

Morâd prend le téléphone et glisse les mains dans ses cheveux (ça n'arrête pas).

— Je suis à votre service, déclare-t-il, que puis-je pour vous ?

Je suis parfaitement au courant des desiderata de ma cousine. Morâd écoute un instant, puis il prend son portable et lui communique un numéro qui paraît être celui de Sattâr.

— Vous l'appelez de la part de Morâd, non, que dis-je, de la part de Nahâl *khânoum* directement, et vous lui expliquez votre cas.

Posant la main sur le combiné, il commente :

— S'il s'est rabiboché avec le colonel, il réglera en un seul jour le problème de madame votre cousine.

— *Inshâllâh !* ajoute Mohtaram. Comme ça, au moins, elle lâchera madame.

In petto, je souhaite de tout mon cœur que les conclusions de l'autopsie du cousin du colonel aient pu s'arranger, qu'on ait pu les modifier dans le bon sens… Après tout, qu'est-ce que le mort en a à faire ?

Morâd prend poliment congé de ma cousine et me repasse le téléphone.

— Merci, merci mille fois de m'avoir communiqué un faux numéro, me dit-elle, d'une voix chargée de ressentiment.

— Mais le numéro du docteur a changé !

— Je ne sais pas qui tu fréquentes, me dit-elle alors en passant au mode ironique, mais un docteur qui modifie son numéro dans la semaine me paraîtrait quelqu'un de plutôt douteux.

— Tu n'es pas obligée de l'appeler, tu sais.

— Si ce soir il n'a toujours pas répondu, je me débrouillerai autrement.

Ah, comme j'aimerais lui dire qu'elle aurait dû, dès le départ, « se débrouiller autrement » ! Comment lui expliquer par où je suis passée ? Et tous les embarras, toutes les angoisses que je lui évite ? Mais je ne dis rien. Je lui souhaite le plus agréable processus de renouvellement possible et je raccroche.

Soudain je me rappelle *âghâ* Madjid, ce promoteur que j'ai croisé le premier jour devant le portail de l'Organisation générale des passeports, et sa quête désespérée d'un œil.

— En fait *âghâ* Morâd est-ce que vous savez si une des connaissances du docteur Askarniâ a pu obtenir ce qu'il voulait ? dis-je en montrant discrètement mon œil.

— *Doctor* a un cœur tissé de tendresses. S'il peut aider quelqu'un, il va jusqu'à risquer sa vie. Je sais de quoi vous parlez (il me fait un clin d'œil), *remercions Dieu*, cet homme n'est pas rentré chez lui les mains vides.

— Espérons qu'il puisse également régler le problème de la dame avec qui vous venez de parler, intervient ma tante.

— *Inshâllâh*, ajoute M. Eskandari avant de tirer de sa poche un papier plié en quatre (le même que la dernière fois, tout aussi fatigué et comprimé). Il demande à Morâd de noter une série de chiffres improbables.

— C'est le dernier numéro de téléphone que mon fils nous a communiqué. Vous pourriez, peut-être, le localiser d'après ça. Qu'en pensez-vous ?

— Qu'est-ce que tu espères encore ? lui demande Hâshem. Qu'une ligne coupée depuis dix ans soit miraculeusement rétablie par la seule volonté d'*âghâ* Morâd ?

— *Na bâbâ*, mais non, mais non, répond M. Eskandari, les yeux vissés sur son vieux papier. Mais à part ça, qu'est-ce que j'ai d'autre à leur donner ?

Morâd enregistre les chiffres sur son portable et dit :

— *Beh rouy-e tcheshm*, ce sera fait sur mes yeux, avec grand plaisir, Eskandari *djoun*. Je te le promets. Mais avant ça, il faut que Nahâl *khânoum* nous envoie les certificats d'hébergement. Sinon, comment aller en Suède ?

Subitement, Narguess apparaît dans le salon. Connue de tous les gardiens, et même de leurs remplaçants, elle se passe allègrement du visiophone. Elle a apporté des pruneaux iraniens pour mon époux, qui les apprécie. Je la remercie et je la présente à Hassan, le seul à ne pas la connaître.

M. Eskandari veut prendre congé. Narguess le retient et lui déclare, abruptement :

— Attendez. Je cherche un appartement de deux cents mètres carrés pour une amie. Si jamais vous lui en trouvez un, vous aurez un très bon *shirini*, un gâteau.

L'attrait du « gâteau », d'une commission, fait que M. Eskandari regagne aussitôt son siège. Narguess s'assied tout près de lui, sur un sofa dessiné par mon ami le décorateur – celui-là même qui voulait, hier encore, me convaincre d'acheter deux mains mortes sortant d'une terre détruite.

Hâshem revient avec du café et des amandes.

— Il faut absolument que tu goûtes, dis-je à Narguess, à ces spécialités kurdes, que m'a apportées M. Eskandari.

Narguess ne refuse jamais une nourriture. En voiture, lorsqu'il m'arrive de voyager avec elle, il ne se passe pas une demi-heure sans qu'elle propose une clémentine, un concombre, une banane, des dragées, des barres de chocolat et même du thé. Pour elle, voyager c'est avant tout se nourrir, et nourrir les autres. Victime de sa gourmandise, il lui est arrivé, une fois, de se faire casser le bras en tentant de cueillir, par effraction, les pêches d'un voisin.

Sans hésiter, elle saisit un gâteau aux amandes, le goûte et se renseigne aussitôt auprès de M. Eskandari : où pourrait-elle se procurer les mêmes ?

— Nulle part. C'est moi qui vais vous les offrir, répond aussitôt M. Eskandari, qui ne perd pas de vue l'achat de l'appartement ni la commission éventuelle.

Tandis qu'elle achève d'avaler son gâteau, Narguess se penche soudain vers le siège sur lequel est précisément assis M. Eskandari. Elle tâte le galon en repoussant légèrement de la main la jambe de notre gardien, lequel, on ne peut plus étonné, suit du regard les manœuvres de mon amie.

— *Âghâ* Morâd, demande-t-elle hardiment au photographe, avec quoi avez-vous collé ce galon, avec de la salive, je présume ?

Tous les regards convergent vers le siège sur lequel est assis M. Eskandari. Celui-ci se lève et, du haut de son mètre quatre-vingt-dix, se penche aussitôt pour suivre de près l'affaire du galon. Je sais qu'il ne se prononcera pas ; le dilemme est trop grand : d'un côté, les photographes qui sont censés retrouver la trace de son fils en Suède, et de l'autre Narguess qui peut très bien le gratifier d'une large commission. Il est pris entre deux feux. Toute réponse serait dangereuse, voire préjudiciable.

Au même moment s'introduit dans la pièce celui que je n'attendais pas, M. *upgrade* en personne, précédé de son eau de Cologne. Il vient retirer les câbles qui relient maintenant ma télévision à une antenne parabolique, laquelle est dissimulée derrière des marmites d'offrande religieuse sur la terrasse d'une Gordâfarid, une héroïne qui ne craint personne, au dix-neuvième étage de mon immeuble.

Le technicien salue les invités, hume l'odeur du café, frotte ses mains les unes contre les autres et déclare :

— Démonter une antenne parabolique dans ces conditions ce n'est plus du travail, c'est du...

— C'est du luxe, conclut Morâd à sa place.

M. Sâbeti, qui n'apprécie guère l'intrusion ver-
bale du photographe, s'approche de la chaise qui est le
sujet de toutes les attentions.

— Madame, excusez-moi, reprend-il à l'intention de ma tante, mais si vous consacriez un peu moins
de temps à votre mari et un peu plus à Nahâl *khânoum*, ces choses-là (il saisit le galon et le détache sans
peine) n'arriveraient pas.

Morâd se lève et se dirige vivement vers
M. Sâbeti. Je crains le pire : les deux hommes peuvent
très bien s'affronter, là, dans mon salon, la veille de
mon départ.

Ma tante n'hésite pas à s'interposer.

— De quoi vous mêlez-vous ? demande-t-elle en
haussant la voix. Aucun de vous n'est tapissier, que je
sache ! Alors asseyez-vous, prenez une tasse de café et
laissez faire les professionnels ! (Puis, elle ordonne,
d'une voix forte :) Mohtaram *khânoum*, du café s'il
vous plaît !

M. Eskandari, debout, demande à M. Sâbeti :

— Avant que tu ne retires les câbles, pourrais-tu
upgrader la radio des Iraniens de Suède ?

Hâshem, qui revient en apportant du thé et non
pas du café, a entendu les derniers mots. Il intervient :

— *Ey bâbâ*, monsieur Eskandari est encore en
Suède. *Barâdar*, mon frère, lâche la Suède, *give up*.
Reviens en Iran, crois-moi, *come back*.

M. Eskandari, les yeux baissés, range silencieuse-
ment dans sa poche le vieux papier froissé où peuvent
encore se lire quelques chiffres, unique témoignage de
l'existence passée d'un fils.

— Allez, suis-moi à la bibliothèque, lui dit M. Sâbeti. Je ferai tout ce que tu voudras. Mais avant je voudrais juste demander à monsieur le photographe : Comment ça se fait qu'un jour vous vous plantez ici comme livreur de chaises et que deux jours plus tard, dans votre prétendu atelier de photo Ec… je ne sais quoi, vous refusiez des clients, en proposant à madame (il me désigne du regard) d'aller mettre la main sur un docteur dont j'ai oublié le nom ? Hein ? Comment ça se fait ?

Je me demande si cet après-midi, que j'avais réservé à des séparations tranquilles, ne va pas tourner au pugilat général. Directement interpellé, Morâd répond au technicien, tandis que les nerfs de son cou menacent d'éclater de fureur :

— J'avais quelques doutes sur vous. Mais maintenant ils sont tous dissipés. Je vois clairement qui vous êtes. Nahâl *khânoum* ferait mieux d'accroître sa vigilance, avant d'ouvrir la porte de sa maison à n'importe qui.

— N'importe qui ? s'écrie M. Sâbeti.

— Oui, n'importe qui, un indicateur, un espion.

Pour tenter d'atténuer la tension qui grimpe à toute vitesse entre les deux hommes, je répète en riant :

— Un espion ?

— Oui, un espion ! réplique Morâd. Parfaitement ! Pour que vous reconnaissiez un espion, il faut qu'il porte une queue et des cornes ?

Je continue de rire, sans en avoir la moindre envie. Et, pensant à mon oncle qui voit partout l'empreinte néfaste, mais toute-puissante, de la diplomatie anglaise, je lui demande :

— À votre avis, M. Sâbeti travaillerait pour qui ? Pour les Anglais peut-être ?

— Je n'ose pas m'aventurer plus avant sur ce terrain, continue Morâd, qui use d'un étrange langage diplomatique. Mais je me permets tout de même de rappeler que cette opération d'*upgrade*, dont ce cher monsieur a fait sa spécialité, est l'affaire d'un gamin de onze ans. À moins que cela ne serve de couverture à d'autres fonctions.

Le docteur Bashiri se porte alors au secours du technicien, lequel doit justement lui *upgrader* toute une série de chaînes de sport, avant le retrait imminent des antennes paraboliques :

— *Âghâ* Morâd, moi qui suis pourtant très familier avec l'informatique, j'avoue ne rien comprendre à cette fameuse opération. Ce n'est pas une affaire de gamin, je vous le garantis.

Sentant subitement ma tension chuter à grande vitesse, j'avale coup sur coup deux gâteaux aux amandes et je cours à la cuisine pour me servir un grand verre d'eau sucrée. Je trouve Mohtaram en train d'envelopper les boîtes de café dans des sachets en matière plastique. Elle sait que, avant de partir, je lui donne non seulement toute la nourriture mais aussi les produits de beauté, les cartes de téléphone, les fleurs séchées, les DVD gravés… La raison pour laquelle elle a servi du thé au lieu de café, tout à l'heure, n'est connue que de moi. En fait, à l'approche de mon départ, elle considère déjà toutes ces marchandises comme les siennes propres et n'a aucune envie de gaspiller son café en le proposant à qui que ce soit.

Je bois mon verre d'eau sucrée. Mohtaram perçoit mon malaise.

— Accordez-moi une minute, madame, déclare-t-elle, je vais tous les mettre à la porte.

D'un geste de la main, je la dissuade (il ne manquerait plus que ça !) et je regagne le salon.

M. Eskandari est resté debout. Il espère encore se faire *upgrader* la radio de la diaspora iranienne en Suède.

Assis sur le sofa design, Narguess insiste auprès de Morâd :

— Vous ne m'avez toujours pas répondu. Ce galon, avec quoi l'avez-vous collé ?

Nettement plus discret, plus effacé que son collègue Morâd, Hassan répond d'une voix égale :

— Madame, je n'ai pas l'honneur de vous connaître (Hassan est donc un des rares Téhéranis à ne pas connaître Narguess) mais je peux vous garantir que nos épouses, qui sont couturières et tapissières, utilisent les meilleurs produits que l'on puisse trouver en ville. Elles ont même passé un contrat avec une hôtesse d'Iran Air qui, à chacun de ses retours de Francfort, les fournit en fil allemand.

Le docteur Bashiri ajoute, en hochant la tête tel un connaisseur :

— Il est indéniable que les produits allemands sont les meilleurs qui soient, surtout en ce qui concerne l'électroménager et les voitures. (Puis, pensant sans doute au lancement prometteur d'Adidas en Iran, il poursuit :) Si j'étais vous, cependant, j'aurais conseillé à mesdames les couturières d'importer des fils français. Nahâl *khânoum*, si je me trompe corrigez-moi, mais les compatriotes de votre époux sont non seulement les premiers dans la mode et les cosmétiques mais aussi dans le sportswear, n'est-ce pas ?

Il me fait un clin d'œil et indique le document posé sur la table, l'appendice à son étude de marché, dont il ignore le sort malheureux.

— Nous ne sommes pas là pour comparer Benz et Peugeot, l'interrompt Narguess, mais pour régler le sort de ce pauvre galon.

— Je ne savais pas, reprend M. Sâbeti, un peu pincé, que ces messieurs les photographes exerçaient également l'art délicat de la tapisserie.

Connaissant son amour pour le café, je demande d'une voix déterminée :

— Mohtaram *khânoum* ! Du café pour M. Sâbeti !

Aussitôt, Mohtaram apparaît.

— Il ne nous reste malheureusement plus de café…, dit-elle. Madame, *que le mauvais œil vous préserve,* vous aviez tellement bien calculé votre consommation de café que je viens, là, à l'instant même, de jeter à la poubelle la toute dernière boîte.

— *Finish !* s'exclame Hâshem en frappant dans ses mains.

Ma tante lui jette un regard très mécontent. Elle déteste qu'il débite à tout propos des mots en anglais. La mine coupable et les épaules basses, Hâshem tourne les talons et regagne la cuisine.

— Chaque fois que je viens ici, reprend M. Sâbeti en s'adressant à toute l'assemblée, sauf aux deux photographes qu'il ignore, l'odeur du café me monte si vite à la tête que j'en oublie la monotonie de mon travail. Jamais je n'aurais cru possible que ce penchant pour le café m'exposerait, ici, à une telle flopée d'insultes.

J'ai envie d'aller dans la chambre de Mohtaram, d'ouvrir ses différents sacs, qui débordent de déodorants presque vides, de tubes de mascara desséchés, de vieilles brosses à cheveux en poil de sanglier, de plaques de chocolat fondues et de boîtes de café entamées. Là, je pourrais extraire la denrée fétiche de M. *upgrade* et lui apporter, personnellement, une tasse de café. Mais je n'en fais rien. Je reste assise sur le long canapé de mon ami décorateur, grand amateur de mains de morte. J'évite ainsi d'irriter Mohtaram, à la veille de mon départ.

— Si vous aimez tellement boire du café, pourquoi, bien au calme dans votre maison, vous ne vous préparez pas le bon café français que madame vous a offert ? suggère alors Morâd à M. Sâbeti.

— Parce que j'attends de boire le café que madame vous a offert, bien au calme dans votre maison, réplique, du tac au tac, M. Sâbeti.

— Avec la permission du Benz, de la Peugeot et du café pur arabica, déclare soudain Narguess, qui ne démord pas de son problème, je voudrais attirer l'attention de tous sur le sort de ce galon.

— Sâbeti, *sarvaram*, mon maître, ma maison est la tienne, continue Morâd, indifférent à l'intervention de Narguess, tu y seras toujours le bienvenu.

Le sens de l'hospitalité, si développé chez les Iraniens, vient de prendre le dessus sur la rivalité absurde

281

des deux hommes, qui s'est déclarée ici même, six jours plus tôt.

— Tu es un seigneur, Morâd *djoun*, répond M. Sâbeti.

— À l'occasion de cette réconciliation, n'oubliez pas de nous inviter également, suggère ma tante, qui veut toujours être de toutes les fêtes.

Le docteur Bashiri, qui sait que de toute manière elle ne se rendrait pas à cette réconciliation, car elle ne va nulle part depuis l'immobilisation de son époux, s'interpose :

— N'invitez pas madame, elle ne viendra pas. Mais invitez-moi à sa place.

— Vous êtes tous nos invités, décrète Morâd. Mais pas pour un simple café, pour un *tchelo kabâb*. Le *kabâb* de Hassan n'a pas son pareil !

M. Sâbeti invite notre gardien à regagner la bibliothèque pour l'*upgrade* de la radio iranienne de Suède. Sur son passage, il tapote amicalement les épaules de Morâd et de Hassan, l'un debout, l'autre assis.

Les photographes sourient. L'incident paraît clos. Je respire.

Le visiophone sonne. Le remplaçant de M. Eskandari annonce, en bas, l'arrivée de Dâvar et s'impatiente de l'absence du gardien en titre. Mohtaram lui répond qu'il est occupé à écouter la radio suédoise. Du salon, nous pouvons tout de même entendre l'étonnement du remplaçant :

— La radio suédoise ?

— Oui, la radio suédoise, répond Mohtaram. Et moi je n'ai pas que ça à faire. Madame s'en va demain et je dois passer mon temps à renseigner les gens à droite et à gauche.

Elle a dû déconnecter le visiophone, car nous n'entendons plus la voix du remplaçant. Dâvar apparaît, un bouquet de pivoines à la main. Le regard de Mohtaram, venue l'accueillir, s'illumine. Ces fleurs iront décorer son *open* (c'est par ce mot anglais qu'elle désigne sa cuisine américaine) dès demain soir.

Je gronde Dâvar, car les fleurs coûtent très cher à Téhéran :

— Dépenser tout cet argent en sachant que je n'en profiterai qu'une nuit, c'est du gaspillage !

Il ne répond pas et se rassoit. Je cours à la cuisine pour empêcher Mohtaram de lui faire du café. Elle en est parfaitement capable. Le prix des pivoines justifie qu'elle prépare à mon ami intellectuel (qui est plus qu'un simple technicien) le café qu'elle lui a refusé.

J'ai vu juste. Mohtaram est déjà en train de remplir d'eau la cafetière.

Soudain, j'entends les cris de ma fille en français. Elle s'adresse à M. Sâbeti, qui, pour *upgrader* la radio suédoise, a dû couper la chaîne pour enfants.

Je sors de la cuisine et je croise, dans le couloir, M. Sâbeti, pourchassé par ma fille, suivi de M. Eskandari.

Inclinant sa haute taille, celui-ci me déclare :

— Madame, il faut que je m'en aille. Je dois vous dire au revoir à l'instant même, car j'ai déserté mon poste depuis trop longtemps.

Le ton agacé de son remplaçant a dû parvenir à ses oreilles. Le gardien et le technicien se retrouvent dans le salon pour se saluer. Ma tante profite de l'imminence de leur départ pour annoncer que le moment est venu, pour tout le monde, de s'en aller. Depuis sa jeunesse, elle ne peut pas rester dehors au-delà de cinq heures de l'après-midi.

— Sans même consulter ma montre, me dit-elle souvent, je sens, par une angoisse qui me prend en haut du ventre, qu'il est plus de 17 heures.

Je regarde ma montre : 18 h 30. Quelle torture pour elle. Par habitude, par politesse, je propose à mes visiteurs de rester encore, mais tous se lèvent. Ma tante se penche vers Dâvar et l'invite à dîner chez elle. Il hésite. J'insiste en rappelant qu'il vient à peine d'arriver et que, comme je n'ai pas d'autre choix que de passer la dernière soirée avec mon oncle, il serait agréable qu'il nous accompagne. Dâvar accepte. Narguess, qui fait partie des nôtres et qui nous suivra donc pour le dîner, se dirige vers la salle à manger, arrache les galons de deux autres chaises.

— Comment pouvez-vous la laisser partir en sachant très bien que votre travail est mal fait ? s'exclame-t-elle. Comment pouvez-vous ?

Morâd et Hassan échangent un regard.

— Narguess *khânoum,* reprend Hassan, et vous, comment avez-vous pu penser que nous allions nous retirer sans les chaises ?

— S'il en est ainsi, s'interpose M. Sâbeti, laissez-moi faire un saut au dix-neuvième, démonter rapidement l'antenne et redescendre, pour vous aider à transporter vos chaises jusqu'en bas.

Le docteur Bashiri, M. Eskandari et Dâvar proposent eux aussi de coopérer au transport des douze chaises. Tout le monde va s'y mettre. M. Eskandari, qui est de garde cette nuit, me fait encore une fois ses adieux. Je l'embrasse, ce qui est formellement interdit au rez-de-chaussée, dans l'entrée de l'immeuble, et en profite pour le rassurer pour son fils :

— Vous pouvez compter sur *âghâ* Morâd et Hassan *âghâ*. Ce sont des hommes de parole. J'en sais quelque chose.

Morâd s'avance.

— Une dernière prière : puis-je voir votre passeport ? demande-t-il.

Je vais le chercher. Je le lui montre. Il l'ouvre avec respect.

— Belle photo ! s'écrie-t-il. Vraiment. Comme ça, chaque fois que vous l'ouvrirez pour vous évader dans le monde, vous penserez à vos deux amis photographes, qui sont toujours emprisonnés ici.

— Je vous promets, lui assuré-je, de me rendre à la mairie dès mon arrivée et de vous procurer le certificat d'hébergement.

— *Inshâllâh*, fait M. Sâbeti qui n'est toujours pas monté au dix-neuvième. Nahâl *khânoum*, je suis cloué là parce que je ne supporte pas les adieux, mais je voudrais ajouter, pour ma part, que chaque fois que vous passerez de CNN à la BBC en passant par Arte et Piwi, sans que les images ne soient brouillées, sans qu'un technicien ne soit obligé, tous les deux ou trois jours, d'escalader clandestinement les immeubles, de se recroqueviller dans une vieille marmite de riz, perchée au dernier étage, pour rétablir la connexion, ayez une pensée pour votre amateur de café.

Je promets encore. Puis je vais dans la chambre de Mohtaram, j'ouvre au hasard un des sacs, j'en tire une boîte de café que je reviens donner à M. Sâbeti.

— Mohtaram *khânoum* vient tout juste de trouver une dernière boîte, dis-je. On dirait qu'elle vous était destinée.

Il la refuse, craignant sans doute de déclencher une nouvelle affaire de café. Mais tous l'encouragent à l'accepter, même Mohtaram qui vient de comprendre qu'elle était allée un peu trop loin. Il prend la boîte, tout ému, et la range dans son attaché-case.

— Sâbeti *djoun*, dit Hassan, lorsque vous viendrez manger à la maison, n'oubliez pas votre ordinateur, s'il vous plaît. Il y a deux ou trois bouquets de programmes que, malgré nos efforts, nous n'arrivons pas à *upgrader*.

— *Beh rouy-e tcheshm*, ce sera fait sur mes yeux, avec plaisir.

Il leur communique son numéro de portable et précise qu'il a déjà noté celui de Morâd, le soir où il m'a accompagnée dans l'atelier Ecbâtâne pour essayer de localiser Sattâr.

Le docteur Bashiri me serre la main, un geste qui, là encore, ne pourra pas être accompli en bas. Il me montre l'annexe de son étude de marché et dit :

— Maintenant tout est entre vos mains.

— Comptez sur moi, je ferai parvenir le tout, dès mon arrivée, au destinataire.

— Je vous remercie pour votre discrétion.

M. Sâbeti et les deux photographes lui jettent un regard soupçonneux. Quelle secrète entente dissimule cette « discrétion » ? Je suis contente de partir. Je redoute d'être une nouvelle fois le témoin impuissant d'hostilités larvées entre les quatre hommes.

Je vais dans ma chambre pour me remaquiller. Lorsque je regagne le salon, tout le monde est parti. Ne restent que Mohtaram et Hâshem, occupés à ranger les tasses de café. J'ai décidé de ne donner à Mohtaram aucune explication pour l'ouverture de son sac et le retrait du café. *Never explain, never complain*, comme dirait la reine d'Angleterre.

Je descends à toute allure et j'aperçois, dans la rue, Dâvar, le docteur Bashiri, M. Eskandari, M. Sâbeti et les deux photographes charrier chacun une paire de chaises jusqu'à l'atelier de photographie Ecbâtâne. Ma tante, Narguess, ma fille et moi, nous regardons la caravane pénétrer dans l'atelier, puis en ressortir les mains vides.

Hassan et M. Sâbeti reviennent vers moi et à leurs risques et périls me serrent la main. Je leur tape amicalement sur le dos.

— N'oubliez pas…, dit Hassan.

— N'oubliez pas…, ajoute M. Sâbeti.

— Non, chaque fois que j'ouvrirai mon passeport, chaque fois que je zapperai d'une chaîne à l'autre, je ne manquerai pas de penser à vous.

— *Ey bâbâ*, intervient le docteur Bashiri, qui nous a rejoints, ils ont tout fait pour la fatiguer cet après-midi, et maintenant ils vont la faire pleurer.

— Allez, vite, monte dans ma voiture, ton oncle nous attend, me souffle Narguess.

— Mais non, mais non, c'est moi qui la conduis, intervient Dâvar.

Ma tante monte dans la voiture de Narguess, me fait signe de me remettre du rouge à lèvres.

— Va avec Dâvar, mais maquille-toi un peu. Tu as une mine !

J'entends M. Sâbeti informer le gardien qu'il passera demain pour le démontage de mon antenne parabolique, lorsque je serai partie.

Dans la voiture de Dâvar, Kiara demande à écouter *Amor Amor*, en espagnol. Mais Dâvar n'écoute que de la variété française. Nous arrivons rapidement. L'opération du verrouillage de la voiture ressemble assez à celle effectuée par Narguess. Nous montons chez ma tante où Samirâ, Masserat et Hamid nous accueillent avec de la tristesse dans le regard. Ma tante est assise sur le bord du lit de mon oncle et lui raconte le déroulement de la soirée avec une profusion de détails. Mon oncle me prévient du risque que je prends à fournir à des inconnus des certificats d'hébergement. Dâvar est de son avis. Je ne vois pas comment Morâd et Hassan pourraient faire partie d'un réseau terroriste. Mais je ne dis rien et j'approuve cette vigilance.

Je pose à Dâvar mon éternelle question :

— Quelle est la dernière phrase que tu as traduite aujourd'hui ?

Il me cite de mémoire : « Le confortable fauteuil à ressorts dans lequel j'étais plongé portait des cicatrices comme un vieux soldat, il offrait aux regards ses bras déchirés, et montrait incrustées sur son dossier la pommade et l'huile antiques apportées par toutes les têtes d'amis. L'opulence et la misère s'accouplaient naïvement dans le lit, sur les murs, partout. »

Il jette un regard sur le lit de mon oncle, sur les murs de l'appartement et sur les prises électriques encrassées par des traces de doigt.

— En fait, ajoute-t-il, aujourd'hui, je n'ai pas pu trop avancer. J'ai passé mon temps à chercher si Deleuze avait écrit sur Balzac ?

— Et alors ?

— Il voulait le faire avec Félix Guattari, après leur Kafka, mais tous les deux sont morts avant de commencer.

— Il n'a donc rien écrit sur Balzac ?

— Juste quelques notes sur lesquelles je n'ai pas encore pu mettre la main.

Mohtaram et Hâshem arrivent et servent le dîner. Ma tante me propose de venir passer la nuit chez moi. Elle agissait ainsi, naguère, à la veille de chacun des voyages que je faisais avec ma mère, puis seule. Je lui réponds que Mohtaram se fait une joie de m'accompagner à l'aéroport. Elle sait, comme d'ailleurs tout notre entourage, que Mohtaram aime par-dessus tout se rendre à l'aéroport, que la priver de cette sortie serait pire que de lui soustraire une boîte de café.

Comme Dâvar suggère de me déposer lui-même, je lui explique qu'avec Hâshem et Mohtaram nous avons une stratégie imparable : tandis que je fais passer les bagages au contrôle et à l'enregistrement, Mohtaram divertit Kiara dans le hall de l'aéroport et Hâshem se gare dans le parking. Ensuite, je reviens récupérer Kiara, embrasser Mohtaram, serrer la main de Hâshem (à l'aéroport, nous pouvons même embrasser les hommes, c'est toléré) et partir enfin.

Dâvar se laisse convaincre : il ne viendra pas. Avant de partir, je m'assieds sur le lit de mon oncle et je lui masse longuement les jambes, en silence. Je le revois jeune, élancé et élégant, en maillot de bain, recevant des amis autour de leur immense piscine. Je le revois, debout chez Hermès, hésiter entre deux paires de chaussures John Lobb. Lorsque je me retourne pour embrasser mon oncle, je découvre que son visage est inondé de larmes. Je suis certaine que lui aussi vient de se repasser les mêmes images. Je me lève. J'embrasse ma tante en l'engageant à venir avec mon oncle à Paris pour l'anniversaire de Kiara. Même si je sais que cela est impossible, je le fais car l'espoir de proches retrouvailles adoucit toujours la brutalité des adieux. J'embrasse Samirâ, Masserat, Hamid. Kiara, qui est fatiguée, refuse d'embrasser tout le monde. Hamid pleure. Ma tante pleure.

— Tu aurais quand même pu demander ton *kârt-e melli* à Sattâr, me reproche Narguess dans l'ascenseur.

— *Badan, badan,* une autre fois.

Je l'embrasse, ainsi que Dâvar. Comme nous nous trouvons au deuxième sous-sol de l'immeuble de ma tante, le risque de croiser des délateurs à 23 heures est faible. Je monte dans la voiture de Hâshem, Kiara dans les bras. Je m'installe à l'avant. Depuis la Révolution, encouragés par Mohtaram, nous le faisons systématiquement, afin d'éviter que les gens n'identifient Hâshem à un chauffeur. Pourtant ma mère, qui ne voulait pas passer pour l'épouse du chauffeur, n'aimait pas ça.

Nous arrivons à la maison. M. Eskandari m'ouvre la porte et tire, de sa poche, le papier froissé. Je le rassure une fois de plus :

— Dans trois semaines, les photographes pourront avoir leur visa et se rendre en Suède.

Je monte dans ma chambre, je déshabille ma fille. Elle veut prendre tout de suite l'avion. Je ferme les yeux et je pense à toutes ces personnes que j'ai rencontrées et avec lesquelles j'ai tissé des liens profonds, des personnes qui m'ont toutes aidée de leur mieux pour qu'en fin de compte je puisse les quitter.

Mardi

Un portail en fer noir s'ouvre et nous avançons, mon mari, ma fille et moi, sur une allée bordée de très vieux oliviers. Ils ont autant de troncs que de branches. Un indigène au teint sombre, qui porte apparemment un chapeau mexicain, explique en espagnol que les arbres ont été plantés là, clandestinement, il y a quatre cent cinquante ans. Des deux côtés, le vert de l'herbe et le vert des oliviers nous engloutissent. Par moments apparaissent trois jeunes femmes blondes et la nounou de ma fille. Nous entrons dans une petite église délabrée où une châsse en verre abrite une statue de Jésus qui, nous précise l'indigène, grandit chaque année d'un centimètre à tel point qu'il a fallu rallonger la cage de verre où elle repose. Ma fille allume un cierge et fait sonner une clochette.

Le réveil annonce 4 heures du matin. Je dois me lever. C'est le jour du départ. Ma valise est prête, il me reste juste à dissimuler le caviar dans les chaussettes et à glisser le tout dans de vieilles baskets. Cela fait, je réveille ma fille et je l'habille malgré une avalanche de protestations diverses. Mohtaram a déjà préparé le petit déjeuner. Je bois ma dernière tasse de café. Kiara refuse de manger.

Nous sommes prêtes pour le départ. Mohtaram se tient avec un exemplaire du Coran et un verre d'eau à l'entrée de l'appartement. Kiara et moi nous passons sous le Coran, brandi par Mohtaram, nous le baisons et sortons. Mohtaram renverse le verre d'eau sur nos traces : que le départ soit aussi fluide que cette eau qui coule.

Hâshem descend les valises. Mohtaram, qui sait mes inquiétudes à propos du caviar, récite une prière sur la valise rouge, le bagage délictueux. Nous descendons. M. Eskandari, déjà levé, m'embrasse une nouvelle fois. Il n'y a personne dans le hall. La voiture de Hâshem est stationnée devant l'entrée de l'immeuble. Nous y montons. Comme toujours Mohtaram me propose de m'asseoir devant. Je ne discute pas, même s'il serait beaucoup plus confortable, pour moi qui porte ma fille dans les bras, de prendre place sur la banquette arrière. La voiture démarre. Nous passons devant l'atelier de photographie Ecbâtâne où je remarque, dans la pénombre, l'enfilade de mes chaises qui encombrent outrageusement l'intérieur de la boutique.

— Pourvu qu'ils n'aient pas changé d'avis, déclarent en cœur Mohtaram et Hâshem.

Je ne dis rien. Dans trois heures, le problème des chaises ne me concernera plus.

Nous arrivons rapidement à l'aéroport. Depuis la Révolution, les arrivées et les départs s'accompagnent, pour moi comme pour des millions d'autres, d'un cortège d'angoisses et d'appréhensions. Je garde un très

mauvais souvenir des premières années du régime islamique : pour une bague d'une valeur de cent euros,
que j'avais glissée dans ma valise et qu'un douanier
découvrit, je faillis non seulement rater mon vol mais
subir, sur place, un procès révolutionnaire.

L'aéroport est aussi un des lieux où peuvent être
arrêtés des intellectuels qui prêchent la non-violence et
sont accusés par le pouvoir d'être des « éléments mena-
çant la sécurité nationale ». C'est aussi à l'aéroport
qu'une grand-mère venue de sa province, qui ne s'est
jamais intéressée à la politique, peut se voir refuser
l'autorisation de quitter le territoire. Après avoir raté
son vol, pour la Suède par exemple, elle passera alors
d'un organisme à l'autre pendant un ou deux mois. Et
elle finira, pourquoi pas, au Bureau des passeports de
Yâft Âbâd, une poule cachée sous son tchador pour
remercier un certain lieutenant Mokhtârpour de lui
avoir dénoué le problème qui ne provenait peut-être,
comme cela arrive souvent, que d'une similitude de
nom.

Mohtaram, Hâshem et moi suivons le plan mis
en place depuis la naissance de ma fille. Hâshem retire
les valises du coffre de la voiture, va chercher un vieux
porteur (décharné et édenté) et s'engage dans le parking. Mohtaram prend Kiara dans les bras, tandis que
je passe un premier contrôle, réservé aux femmes. Une
inspectrice, debout, vérifie mon billet, tandis que deux
autres, assises, scrutent l'islamicité de ma tenue. Je
franchis la cabine, première épreuve, et je rejoins le
porteur, dans la zone des passagers. Je lui promets une
bonne récompense au cas où il réussirait à me faire
passer le contrôle visuel sans difficultés. Il me pose une

question en langue turque. Je ne sais que répondre, regrettant, pour la première fois de ma vie, de ne pas être originaire d'Âzarbâidjân. J'espère que les douaniers, les inspecteurs, les porteurs et peut-être tout le personnel de l'aéroport sont natifs de cette province du nord-ouest de l'Iran, limitrophe de la Turquie.

Le vieux porteur pose mes valises sur le tapis. Alors qu'elles passent au contrôle visuel, mon cœur bat : l'inspecteur (turc ?) va-t-il découvrir le caviar ? Le porteur lui glisse quelques mots, effectivement en turc, et récupère mes valises à l'extrémité du tapis. Je viens de passer la deuxième épreuve haut la main. Un homme, la raie des cheveux exagérément dessinée sur le côté gauche, à l'instar du directeur de l'Organisme du théâtre, la chemise hermétiquement boutonnée et la barbe étonnamment islamique (celle de trois jours), est assis sur un tabouret. Il a le pouvoir de faire réouvrir mes bagages et de bloquer, pour un motif connu de lui seul, l'accès à l'enregistrement.

À ce moment précis, je commence à regretter, après mon ignorance de la langue turque, d'avoir oublié de recopier la prière de ma tante, prière en arabe qui a la particularité d'ouvrir les portes, de faire disparaître les obstacles. Je sais que le début est quelque chose comme *fadja alnâ*, je ne connais pas la suite. Je me contente de répéter plusieurs fois *fadja alnâ* et, troisième épreuve, je passe sans attirer l'attention de l'homme en civil, maître de mon destin.

Je me dirige maintenant vers les comptoirs d'Iran Air. Pour une fois, la queue est dérisoire. Je me rappelle les dialogues qui se déclenchent avec les amis, à

Paris, chaque fois que quelqu'un veut se rendre en Iran.

— Tu voyages sur quelle compagnie ? me demande une amie exilée.

— Je ne sais pas encore, sur Iran Air probablement.

— Oublie Iran Air. Ça fait trente ans qu'ils n'ont pas renouvelé leur flotte, précise un jeune homme qui paraît très au fait du commerce aéronautique.

— Moi, je prends Emirates de Paris à Dubaï, je passe une nuit dans un des palaces de la ville. Le lendemain, après avoir nagé dans la piscine au cinquantième étage de l'hôtel et passé une demi-heure dans le Flotarium du spa, je prends un autre vol Emirates pour Téhéran, me raconte un quadra que je présume débordé.

— Si mes calculs sont bons, cela te prend deux jours pour un vol qui ne dure que quatre heures et demie, lui dis-je alors.

— Oui, mais il est sûr d'arriver vivant, même s'il perd vingt-quatre heures et non deux jours, comme tu viens de le dire. Nahâl, m'explique le spécialiste de l'aéronautique, toi aussi tu devrais arrêter de voyager sur Iran Air.

— Tu as raison. Mon frère, qui dirigeait Iran Air avant la Révolution et a acheté lui-même tous les appareils de la compagnie, me répète la même chose.

L'amie exilée qui ne se rend plus en Iran, le soidisant spécialiste de l'aéronautique et le businessman affairé me déclarent en même temps, toujours à Paris :

— Admets-tu, maintenant, que c'est vraiment dangereux de voyager sur Iran Air ?

— Oui.

— En es-tu définitivement persuadée ?

— Oui.

— Alors, sur quelle compagnie vas-tu finalement voyager ? demande, pour clore ce chapitre, l'amie exilée.

— Sur Iran Air, dis-je chaque fois, en mettant un terme à la discussion.

Mon tour arrive. Je sais que j'ai un excédent de bagages de vingt kilos. Le porteur glisse encore quelques mots en turc au personnel d'Iran Air qui pèse mes valises. Je me prépare à répéter de nouveau le seul mot de la prière de « dénouement » que je connaisse, lorsque je m'aperçois que le préposé est en train de coller docilement les étiquettes de Paris-Orly sur mes colis. Il vérifie mon passeport et celui de ma fille, nous donne nos cartes d'embarquement et me souhaite un bon voyage. Je viens de passer la quatrième épreuve (matérielle cette fois-ci) avec un sentiment de jubilation dû au choix de la bonne compagnie aérienne et non d'Air France qui, avec sa politique de tolérance zéro, aurait exigé le paiement d'au moins deux cents euros.

Je demande au porteur de m'indiquer la somme que je lui dois. Il requiert vingt mille *tomans*, l'équivalent de vingt euros, alors que j'ai quatre valises et que le tarif affiché pour chaque colis est de vingt centimes. Je proteste. Je ne veux lui donner que dix euros, ce qui est beaucoup. Il me rappelle qu'il a sauvé mon caviar et réduit à néant mon excédent de bagages. Il n'a pas tort, mais je ne veux pas céder, ce dernier séjour en Iran a dû m'endurcir :

— Quinze mille et pas un *toman* de plus.

— Vingt mille et pas un *toman* de moins.

— Dix-sept mille et c'est tout, fais-je en sortant mon portefeuille.

— Range vite ton portefeuille. Paye-moi à la sortie, une fois que tu auras récupéré ta fille.

Je fais demi-tour, je passe devant l'homme assis sur le tabouret, les inspecteurs responsables du tapis et les femmes de la cabine vestimentaire. Dans le hall d'accueil, je retrouve Mohtaram, Hâshem et Kiara. Je règle le porteur. Il recompte les dix-sept billets de mille *tomans*, bougonne un peu mais s'en va. J'embrasse Mohtaram et même Hâshem. Je leur demande de veiller sur ma tante et mon oncle. Au dernier moment, avant que je ne m'engage de nouveau dans la cabine du contrôle vestimentaire, Mohtaram me dit :

— La dernière fois que j'ai vu madame (elle parle de ma mère) c'est devant cette porte. Pendant toute la nuit qui précédait son départ, je n'ai pas arrêté de lui masser les pieds, tellement ses os la faisaient souffrir. Elle est entrée là-dedans et je ne l'ai plus revue, me dit Mohtaram en posant sa tête sur mon épaule.

Ma mère quitta Téhéran pour la dernière fois en avril 2001 et mourut à Paris en décembre de la même année. Je sens tout contre moi les larmes de Mohtaram. Je caresse sa tête, à travers le foulard.

— *Que Dieu égaye son âme*, dit Hâshem. Moi aussi j'étais là.

— Et moi ? s'enquiert Kiara.

— Toi, tu n'étais pas encore née, lui dis-je.

— Madame est partie pour faire en sorte que tu viennes. Nous t'attendions tellement, ajoute Mohtaram.

— J'étais où ?

Je la prends dans mes bras et lui promet de lui expliquer où elle se trouvait avant sa naissance.

— Promis, juré ? me demande-t-elle.

— Promis, juré.

Je serre la main de Hâshem, j'embrasse de nouveau Mohtaram et je lui dis que Hamid, son fils, s'il le désire, peut récupérer l'ordinateur de mon ami.

— Mais il ne marche pas, intervient Hâshem.

— Celui-là, reprend Mohtaram à propos de son époux, trouve toujours quelque chose à en dire. Qu'est-ce que tu veux que madame fasse maintenant, à une heure de son départ ? Tu veux qu'elle aille le réparer ?

Je me retiens de dire que j'assumerai également les frais de réparation de l'ordinateur sachant que, de toute façon, ma tante, munie de la procuration, le fera en mon nom. Je pénètre, avec Kiara dans les bras, dans la cabine des femmes. L'inspectrice qui est debout et les deux qui sont assises ne vérifient rien. Elles aussi, comme leurs collègues de l'Organisation générale des passeports, ont dû me reconnaître. Comment font-elles ? Je n'en sais rien.

J'arrive au niveau de l'homme assis sur le tabouret. Je me fais toute petite. Kiara me parle en français, je lui réponds en persan, ce n'est pas le moment d'attirer l'attention de cet homme. Je monte sur l'escalator en tirant le bras de Kiara. Elle me demande de descendre, alors que nous sommes déjà à mi-parcours. Elle veut monter sur l'escalator sans mon aide. Haptonomie prénatale et maternelle Montessori obligent : elle veut tout faire toute seule. Si je la laissais libre, elle serait capable de prendre un taxi et de se rendre seule à l'aéroport.

Je redescends, en tâchant de ne pas éveiller la curiosité de l'homme assis sur le tabouret, celui qui, à tout moment, pour une raison connue de lui seul (comme descendre le long d'un escalator qui monte peut paraître un acte subversif), pourrait m'empêcher de partir.

Kiara monte, je la suis. Au terme de cette ascension, nous arrivons au contrôle des passeports. Je glisse le mien, qui m'a donné tant de souci, sous le verre du guichet où se trouve l'inspecteur de police. Il pianote sur son ordinateur, tandis que je pense à tous ceux qui, à cette étape précise, ont été arrêtés, ou interdits de sortie. Il vérifie ma photo et soudain, sans savoir pourquoi, je me remémore l'odeur de cigarette des mains de Morâd, lorsqu'il saisit mon menton pour ajuster l'angle du visage et tirer mon portrait d'identité.

Après quelques minutes, il finit par tamponner mon passeport. Arrive le tour de Kiara. Je la hausse au niveau du guichet. Elle aussi a droit à la consultation informatique et à l'attente qui précède le bruit du tampon sur son passeport, cinquième et décisive épreuve. Kiara se saisit de son passeport, le premier de sa vie, qu'elle tient à garder sur elle. Elle le serre entre ses mains. Peut-être devine-t-elle qu'il s'agit d'un objet précieux, d'un objet rare.

Je lui fais confiance. Ce n'est pas le moment de nous lancer dans une nouvelle affaire de passeport.

Nous arrivons au contrôle des bagages à main. Je murmure de nouveau le premier mot de la prière « d'ouverture des portes », *fadja alnâ*. Je transporte, dans mon sac, une montre Rolex destinée à la fille de ma meilleure amie, cadeau d'anniversaire de sa grand-mère. Trente ans plus tôt, les mêmes inspectrices (non, leurs mères) m'auraient arrêtée pour sortie frauduleuse de patrimoine national. Mon sac passe sur le tapis. Une des femmes, tout en palpant mes aisselles, m'interroge sur le contenu de la boîte :

— Une montre Rolex, dis-je.

— Une vraie ? demande-t-elle, en tapotant mes cuisses.

Sa collègue, les yeux braqués sur l'écran, ajoute :

— Une fausse n'aurait pas cet emballage.

Kiara pose son sac à dos sur le tapis et attend le verdict de l'inspectrice. Non seulement elle peut passer, mais elle a droit à un « *mâshâllâh*, que Dieu te préserve du mauvais œil ». Sixième épreuve accomplie. Nous faisons la queue pour le dernier contrôle, celui des visas, effectué par un employé d'Iran Air. Kiara a un passeport français, elle passe allègrement cette dernière épreuve, tandis que moi, avec mon passeport iranien dépourvu de tout visa, je risque de me voir refuser l'autorisation de monter à bord. Je montre alors, discrètement, mon passeport français. L'employé d'Iran Air compare les deux passeports et me laisse enfin m'engager dans la pente qui mène au car. Septième épreuve.

Dans le car, j'énumère les sept épreuves que le héros légendaire de l'Iran, Rostam, dut affronter pour sauver sa patrie, l'Iran, j'énumère aussi les sept vallées que les oiseaux d'Attâr durent franchir pour arriver enfin à eux-mêmes, à l'oiseau-roi, au Simorgh : vallée de l'amour, entre autres, vallée de la stupeur, vallée de la mort...

Nous prenons l'escalier qui mène à l'avion, Kiara devant et moi derrière. Elle montre sa carte d'embarquement à l'hôtesse, je fais de même. Nous prenons place sur nos sièges.

Les hôtesses portent un foulard surmonté d'une coiffe, une tunique longue et des pantalons larges. L'avion, en effet, semble dater des années 70. J'écarte aussitôt le risque de toute défaillance mécanique en me rassurant de mon mieux : les pilotes d'Iran Air sont les meilleurs du monde. Il suffit d'être, une seule fois, témoin de leur technique d'atterrissage pour en être aussitôt convaincu. Pourquoi ont-ils cette réputation ? Je ne sais pas.

Les hôtesses procèdent au comptage des passagers. Les portes se referment. Les gardes en civil prennent place un peu partout dans l'avion. Ils sont repérables à leur raie exagérément ouverte à l'extrême gauche de la tête et, bien évidemment, à leur absence de bagages. Une voix de femme, le chef de cabine, annonce :

— En saluant l'âme du fondateur de la République islamique, l'imam Khomeyni, et en saluant les âmes immaculées de nos martyrs, le capitaine Massoumi et son équipage vous souhaitent la bienvenue à bord. Notre temps de vol jusqu'à Paris est estimé à cinq heures…

Peu après, l'avion décolle et survole la chaîne de montagnes qui encercle Téhéran. Je la montre à ma fille et lui demande, comme j'ai l'habitude de le faire :

— Comment elle s'appelle, cette montagne ?

— Alborz, me répond-elle.

Je regarde la montagne Alborz, qui m'a vue naître, et je retire mon foulard.

*Ce volume a été composé
par Facompo à Lisieux (Calvados)
et achevé d'imprimer en avril 2007
par Bussière
à Saint-Amand-Montrond (Cher)*

Pour l'éditeur, le principe est d'utiliser des papiers composés de fibres naturelles, renouvelables, recyclables et fabriquées à partir de bois issus de forêts qui adoptent un système d'aménagement durable.
En outre, l'éditeur attend de ses fournisseurs de papier qu'ils s'inscrivent dans une démarche de certification environnementale reconnue.

Dépôt légal : mai 2007
N° d'édition : 95351/01 – N° d'impression : 071329/4
Imprimé en France